佛语禅心

佛典撷美集

张培锋 主编

天津出版传媒集团

天津人民出版社

图书在版编目(CIP)数据

佛典撷英集 / 张培锋主编. -- 天津：天津人民出
版社, 2017.5
（佛语禅心）
ISBN 978-7-201-11662-4

Ⅰ.①佛… Ⅱ.①张… Ⅲ.①古典散文–散文集–中
国 Ⅳ.①I262

中国版本图书馆 CIP 数据核字(2017)第 091300 号

佛语禅心·佛典撷英集

FOYUCHANXIN　FODIANXIEYINGJI

张培锋 主编

出　　版	天津人民出版社	
出 版 人	黄　沛	
地　　址	天津市和平区西康路 35 号康岳大厦	
邮政编码	300051	
邮购电话	(022)23332469	
网　　址	http://www.tjrmcbs.com	
电子信箱	tjrmcbs@126.com	

策划编辑	沈海涛
	韩贵骐
责任编辑	伍绍东
装帧设计	汤　磊

印　　刷	河北鹏润印刷有限公司
经　　销	新华书店
开　　本	880×1230 毫米　1/32
印　　张	8.125
字　　数	150 千字
版次印次	2017 年 5 月第 1 版　2017 年 5 月第 1 次印刷
定　　价	38.00 元

出版说明

　　佛教在中国两千余年的发展过程中，早已经融入中华文明的发展进程，成为中国传统文化的重要组成部分。在漫长的发展中，涌现出大量的经典以及阐述佛理的文献和为数众多的诗文作品，这些文献一方面是重要的宗教史料，同时其中的很多篇章也是精美的文学作品，它们为中国古代文学的发展注入了新的精神和活力，丰富了古代文学的思想内涵、表现手法，在相当长的时期内，对于整个中国思想文化、社会习俗等，产生了强烈而深远的影响，不了解这些，也就无法真正了解中国古代的文化和文学。很多作品在今天读起来，也仍然具有生命力，富有情趣，可以丰富人们的精神生活，加深对博大精深的中国传统优秀文化的理解。为此，我们面向广大具有中等文化程度以上的读者，编撰了这套试图集中而全面地反映中国古代佛教文学发展面貌的作品集。作品收录的范围基本上涵盖了整个古代时期，个别文集下限到民国前期。

　　这部中国佛教文学作品集总名为"佛语禅心"，由天津大悲禅院智如方丈担任总策划，南开大学文学院张培锋教授担任主编，参与作品集编选工作的主要是南开大学文学院中国古代文学专业的博士生、硕士生。"佛语禅心"系列共计六册，具体编选注释者分别为：

1.《佛典撷英集》，张培锋选注

2.《佛经故事集》，王芳、王虹选注

3.《佛教美文集》，张培锋选注

4.《佛禅歌咏集》，孙可选注

5.《禅林妙言集》，吕继北、罗丹选注

6.《高僧山居诗》，张培锋整理

天津大悲禅院积极支持社会慈善和文化事业，为这部佛教文学作品选的编选和出版也提供了良好的条件。除智如方丈担任全书总策划并亲自写了"总序"之外，大悲禅院还为本书的出版提供了一定的资金支持。书稿在编辑过程中，经过国家权威部门的审定，并几经刊校，我们相信，它定将成为一部面向广大读者的优质的佛教文学读本。

编　者

2016 年 10 月

总　序

　　佛法浩瀚精深,微妙广大。在佛教近三千年的发展过程中特别是传入中国以后的两千余年中,涌现出数量巨大的经典文本和演绎佛法宗旨的文学作品,皆演说佛教精深广博的思想,抒发超尘越世之情怀,这些作品共同构成了汉传佛教的宝藏,而佛教文学则是这座宝藏中的一颗璀璨明珠。

　　佛教文学的概念可以分为狭义和广义两种。从狭义上说,只有佛教经典之中的文学创作才能叫做佛教文学作品,收于《大藏经》中的诸多佛陀本生、譬喻,乃至诸多大乘经典都堪称精美的文学作品;而从广义上说,既包括那些直接宣扬佛教教义的文学作品,也包括那些受到佛教某种影响,或者利用佛教题材以至在某些方面和佛教有关联的作品,都可以视为佛教文学创作。佛教传入中国以来,不仅历代高僧们翻译了大量富有文学价值的佛经,其他诸如古代高僧名士之间的诗文酬唱、论辩演说乃至一句一偈甚或禅门之一棒一喝,皆包含深厚的文学意蕴,是中国古代文学遗产中价值巨大的无数瑰宝中不可忽视的一部分。中土的佛门龙象、历代大德以及广大的信徒,继承并发扬了佛教本有的文学传统,在中国文化的背景下，创造出数量众多、内容丰富、形式多样的佛教文学作品，其创作和传播之所以经久不衰，主要原因在于教团内外的广大信众对三世诸佛、诸大菩萨和佛陀教法有着强烈、热诚的信仰之心，文学创作则是表达这种信仰的极其方便、有效的手段。用这样的心灵创作出来的文学作品，必然是杰出的作品，因为它是从吾人真心自然流现出来的，所谓"心光朗照"，"法喜充满"。一个人在这种状态下写出的作品，较之那些矫揉造作的作品要高明很多。历史上很多高僧似乎并没有在文学方面投入太多精力，但是他们写出的作品却相当高明，甚至可以说难以企及，其道理即在于此。

比如佛典翻译文学中艺术水平相当高的"本生""譬喻"故事经典，不仅生动、风趣，而且具有普遍的训喻意义，它们赞美、宣扬了佛陀在无量的时空中自利利他、大慈大悲的伟大精神和勇于牺牲、济度有情的动人业绩，读来令人感动不已。大乘佛教经典的翻译更不乏《妙法莲华经》《维摩诘经》《首楞严经》等语言典雅、义理丰厚的精彩译笔，这些佛典本身已成为中国古代语言艺术的经典和宝库。唐宋以来，禅宗丛林以及好佛士大夫之中更有许多文学修养非常高的人。他们本来就能诗善艺，运用佛门偈颂等形式以及中国传统诗文手法，演说佛法，表达志向，即使从一般诗文艺术角度看，他们的文字也达到了相当高的水平，堪称清新隽永，字字珠玑，列于历史上优秀的文学作品之中而毫无逊色。佛门中的论辩、说理文字更是文字晓畅，析理透彻，议论滔滔，颇有气势，显示出高超的论辩技巧；禅门语录则随机说法，头头是道，也显示出禅门大德高超的语言技能。明清以来的清言小品乃至名山古刹之楹联对句,皆渗透着"超以象外"的禅意,参悟人生,得意忘言,灵犀一点,心照不宣。总之,佛教文学在整个中国古代文学发展和佛教自身发展中占有双重的重要地位,是中华传统文化的宝贵遗产之一,值得我们高度重视和珍惜。

天津大悲禅院近年来在扩建寺院、营造、建设良好的寺院环境的同时,也高度重视精神文化的建设,力求为弘扬祖国传统文化、为当代中国社会的健康发展和人们精神境界的提升做一些力所能及的奉献。有鉴于佛教文学的重要作用,我们诚邀长期致力于佛教文学研究、成果卓著的南开大学文学院博士生导师张培锋教授担纲,主持编辑一套中国佛教文学作品丛书,定名为"佛语禅心",参与编写者为南开大学主攻佛教文学专业的博士生、硕士生。按照全书的设计体例,本套丛书共包含 6 册,分别为:

1.《佛典撷英集》

从佛教藏经中选择出最精彩、最精华的佛经全文或段落,体现佛教经典文辞之精、义理之美。一册在手,了解最基本的佛法佛理。

2.《佛经故事集》

精选譬喻类、本生类、传记类等佛教典籍,揭示其中体现的佛理,阐扬大乘佛教之菩萨精神,同时体现翻译佛典对于中国古代叙事文学的深刻影响。

3.《佛教美文集》

精选历代僧俗阐发佛教之散文作品,包括论、序、记、赋、传、疏等各类文体,体现中国古人对佛教之深刻理解与发挥,展现佛教文道合一之精神。

4.《佛禅歌咏集》

精选历代僧俗阐发佛理之韵文作品,包括诗词、偈颂、歌赞等各类文体,以见佛教思想与中国古代诗歌的完美融合,展现佛教诗禅一体之精神。

5.《禅林妙言集》

精选禅门语录、灯录及格言、楹联等体裁作品,阐发其中的佛理禅意,既有明心见性之道,亦有为人处世之法,展现佛教真俗不二之宗旨。

6.《高僧山居诗》

以民国时期忏庵居士所编《高僧山居诗》为蓝本,对历代高僧山居诗详加注释,揭示其中深刻佛理,突出高僧大德绝尘离俗同时又融修行于日常生活之精神。

以上六册作品,基本涵盖了中国佛教文学的主要体裁和经典作品。编者对所选文本皆做了精细校勘和注释,力求简明扼要、准确无误而又深入浅出。通过文本的注释和解读,一方面揭示中国佛教文学的巨大成就,另一方面起到宣传和普及佛法的作用。本套丛书的这种设计、编撰思想应该说是很有新意的,期待它的出版能够为广大读者提供一份精美的精神食粮,也为促进和推进中国佛教文学的研究提供一种有益的帮助借鉴。

我们一向认为,佛教信仰是一种理智的信仰,绝非盲从迷信。要做到智信而非迷信,将佛教文学融入到佛陀教育之中是其中重要的一环。学佛必须明理,明理就需要逐渐提高学佛者的文化层次,让人们浸润其中,陶冶性情,潜移默化,选读佛教文学中这些精华的作品则是发挥这种作用的一种良好而有效的途径。张培锋教授和各位编写者为这部丛书的完成付出了巨大的精力和不懈的努力,在此深表谢意!是为序。

湛山门下　智如

2016 年 10 月 8 日农历九月初八

目录

1

《杂譬喻经》[1]（节选）

[东汉]失译人名

　　昔有长者子，新迎妇，甚相爱敬。夫语妇言："卿入厨中取蒲桃酒来共饮之。"妇往开瓮，自见身影在此瓮中，谓更有女人，大恚。还语夫言："汝自有妇藏著瓮中，复迎我为？"夫自得入厨视之，开瓮见己身影，逆恚其妇，谓藏男子。二人更相忿恚，各自呼实。有一梵志与此长者子素情亲厚，遇与相，见夫妇斗，问其所由。复往视之，亦见身影，恚恨长者："自有亲厚藏瓮中，而阳共斗乎？"即便舍去。复有一比丘尼，长者所奉，闻其所诤如是，便往视，瓮中有比丘尼，亦恚舍去。须臾有道人亦往视之，知为是影耳，喟然叹曰："世人愚惑，以空为实也！"呼妇共入视之。道人曰："吾当为汝出瓮中人。"取一大石打坏瓮，酒尽，了无所有。二人意解，知定身影，各怀惭愧。比丘为说诸要法言，夫妇共得阿惟越致。佛以为喻："见影斗者，譬三界人，不识五阴、四大、苦、空、身三毒，生死不绝。" [2]佛说是时，无数千人皆得无身之决也。（《杂譬喻经》卷下）

【注释】

　　[1]《杂譬喻经》为著名佛教譬喻类经典之一，汉译本有多种，主要有：一、《旧杂譬喻经》二卷，西土贤圣集，吴康僧会译。二、《杂譬喻经》，一名《众经撰杂譬喻经》一卷，比丘道略集，鸠摩罗什译。三、《杂譬喻经》二卷，东汉，译者不详。四、《杂譬喻

经》一卷，东汉支娄迦谶译。各经之间既有相同或相似的内容，也有较大差异。本书所取这一节出自东汉失译人名的《杂譬喻经》，见《大正藏》第四册，第0205号。

[2]这则故事表面上看颇似一出闹剧，众人面对瓮中自己的倒影，皆认为是他人，由此引起忿诤并造成一种幽默效果。篇末出现的这位"道人"才是真正的觉悟者，他看到众人所说的原来都是一个影子，便取来一块大石头，打坏瓮酒，尽了无所有。众人看了，各怀惭愧。说到底，众生对自己的本来面目是不认识的，他们所见的包括自己在内的世间一切，无非只是一个影子、假象而已，却以空为实，为了这个影子而诤斗，这便是生死轮回的根本；一旦打破那个酒瓮，明了影子本来是空的，众生便能悟明生命的实相和本质。短短一则寓言故事，其实已经将佛法要旨和盘托出。"认识你自己"是能够正确认识世界的前提，而能不能觉悟，就看是否肯打破那个酒瓮了。《百喻经》卷二(三五)也载有一个类似的故事，录之供参考：昔有一人，贫穷困乏，多负人债，无以可偿，即便逃避。至空旷处，值箧，满中珍宝。有一明镜，著珍宝上，以盖覆之。贫人见已，心大欢喜，即便发之，见镜中人，便生惊怖，叉手语言："我谓空箧，都无所有；不知有君在此箧中，莫见瞋也。"

《法句经》[1]（节选）

[三国吴]维只难[2]等 译

深观善恶，心知畏忌，畏而不犯，终吉无忧。故世有福，念思绍行，善致其愿，福禄转胜。信善作福，积行不厌，信知阴德，久而必彰。常避无义，不亲愚人，思从贤友，押附上士[3]。喜法卧安，心悦意清，圣人演法，慧常乐行。仁人智者，斋戒奉道，如星中月，照明世间。弓工调角、水人调船、材匠调木、智者调身。譬如厚石，风不能移，智者意重，毁誉不倾；譬如深渊，澄静清明，慧人闻道，心净欢然。……世皆没渊，鲜克度岸，如或有人，欲度必奔。诚贪道者，览受正教，此近彼岸，脱死为上。断五阴法，静思智慧，不反入渊，弃猗其明。[4]抑制情欲，绝乐无为，能自拯济，使意为慧。学取正智，意惟正道，一心受谛，不起为乐，漏尽习除，是得度世。（卷上《明哲品法句经》）

【注释】

[1]《法句经》：又名《昙钵偈》，二卷，法救尊者造，东吴沙门维只难等译。巴利名为 Dhamma-pada。意谓"真理之语言"，凡二卷，三十九品，七五二颂。系收集诸经中佛之自说偈编集而成，属于格言体佛典，又作《法句集经》《法句集》等。书对现实人生体验深刻，充满敏锐之洞察力，是最佳的佛教入门书。

[2]维只难，天竺人，生卒年不详，东吴时来中国。其家世奉拜火教，维只难皈依佛教后，深究三藏，尤精通四阿含。

[3]押附上士：上士，道德高尚的人。《老子》："上士闻道，勤而行之。"颜之推《颜氏家训·名实》："上士忘名，中士立名，下士窃名。"本句是说：要遵从、依附那些有道德的人。

[4]猗：助词，犹"兮"。这一句是说：没有智慧的人犹如潜入深渊之中，背离了自身本有的光明。

心为法本，心尊心使，中心念恶，即言即行，罪苦自追，车轹于辙；[1]心为法本，心尊心使，中心念善，即言即行，福乐自追，如影随形。[2]随乱意行，拘愚人冥，自大无法，何解善言？随正意行，开解清明，不为妒嫉，敏达善言。愠[3]于怨者，未尝无怨；不愠自除，是道可宗。不好责彼，务自省身，如有知此，永灭无患。行见身净，不摄诸根，饮食不节，慢堕怯弱，为邪所制，如风靡草；观身不净，能摄诸根，食知节度，常乐精进，不为邪动，如风大山。不吐毒态[4]，欲心驰骋，未能自调，不应法衣；能吐毒态，戒意安静，降心已调，此应法衣。以真为伪、以伪为真，是为邪计，不得真利；知真为真、见伪知伪，是为正计，必得真利。盖屋不密，天雨则漏，意不惟行，淫泆为穿；盖屋善密，雨则不漏，摄意惟行，淫泆不生。鄙夫染人，如近臭物，渐迷习非，不觉成恶；贤夫染人，如近香熏，进智习善，行成洁芳。造忧后忧，行恶两忧，彼忧惟惧，见罪心懅；造喜后喜，行善两喜，彼喜惟欢，见福心安；今悔后悔，为恶两悔，厥为自殃，受罪热恼；今欢后欢，为善两欢，厥为自祐，受福悦豫。巧言多求，放荡无戒，怀淫怒痴，不惟止观，聚如群牛，非佛弟子；时言少求，行道如法，除淫怒痴，觉正意解，见对不起，是佛弟子。[5]

(卷上《双要品法句经》)

4

【注释】

[1]轹(lì):车轮碾压。车轹于辙,车轮碾压出一道车辙。这一句是说,罪与苦之间的关系如同车轮与车辙之间的关系,苦报来自于造恶,而其本源在于心。

[2]"福乐自追,如影随形"与"罪苦自追,车轹于辙"相对,解释善恶因果的关系。

[3]愠(yùn):怒,怨恨。

[4]不吐毒态,意为将心中的恶念压抑、隐瞒。佛教认为,人心中的恶念及其所造恶业应该披露出来,痛加忏悔,"不吐毒态"即是没有忏悔之心。

[5]本节文字典雅,善用妙喻,如"罪苦自追,车轹于辙,福乐自追,如影随形""为邪所制,如风靡草,不为邪动,如风大山""盖屋不密,天雨则漏""鄙夫染人,如近臭物,贤夫染人,如近香熏"等等,包含很多人生哲理,愈嚼愈有味道。

虽诵千言,句义不正,不如一要,闻可灭意;虽诵千言,不义何益?不如一义,闻行可度;虽多诵经,不解何益?解一法句,行可得道。千千为敌,一夫胜之,未若自胜,为战中上。自胜最贤,故曰人雄,护意调身,自损至终。虽曰尊天,神魔梵释,皆莫能胜,自胜之人。月千反祠,终身不辍,不如须臾,一心念法,一念道福,胜彼终身;虽终百岁,奉事火祠[1],不如须臾,供养三尊,一供养福,胜彼百年。祭神以求福,从后观其报,四分未望一,不如礼贤者。能善行礼节,常敬长老者,四福自然增,色力寿而安。若人寿百岁,远正不持戒,不如生一日,守戒正意禅;

若人寿百岁,邪伪无有智,不如生一日,一心学正智;若人寿百岁,懈怠不精进,不如生一日,勉力行精进;若人寿百岁,不知成败事,不如生一日,见微知所忌;若人寿百岁,不见甘露道,不如生一日,服行甘露味;若人寿百岁,不知大道义,不如生一日,学推佛法要。(卷上《述千品法句经》)

【注释】

[1]火祠:即拜火教的仪式。拜火教又称"祆教""波斯教"等,主张善恶二元论,要求人们从善避恶,弃暗投明,以礼拜圣火为主要宗教仪式。本节提出一些重要原则,包括:(1)"虽多诵经,不解何益?解一法句,行可得道。"即诵经不在于多,而在于理解。(2)"自胜最贤","虽曰尊天,神魔梵释,皆莫能胜,自胜之人",包含着佛教宝贵的自我觉悟而非祈祷神灵保佑的思想。(3)"若人寿百岁,邪伪无有智,不如生一日,一心学正智",寿命不在于长短,而在于是否有智慧,能够觉悟,这是佛教生命观的体现。

《佛说孛经抄》[1]（节选）

[三国吴]支谦[2] 译

王曰："国无良辅，实须恃孛。若欲相委，是必危殆。"孛曰："凡人有四自危，保任他家，为人证佐，媒嫁人妻，听用邪言，是为四自危。经曰：愚人作行，为身招患。快心放意，后致重殃。"

王曰："我师友孛，常在不轻。当原不及，莫相捐去。"孛曰："友有四品，不可不知。有友如花，有友如称，有友如山，有友如地。何谓如花？好时插头，萎时捐之。见富贵附，贫贱则弃，是'花友'也。何谓如称？物重头低，物轻则仰，有与则敬，无与则慢，是'称友'也。何谓如山？譬如金山，鸟兽集之，毛羽蒙光，贵能荣人，富乐同欢，是'山友'也。何谓如地？百谷财宝，一切仰之，施给养护，恩厚不薄，是'地友'也。"王曰："今我自知，志思浅薄，听用邪言，使孛去也。"孛曰："明者有四不用，邪伪之友，佞谄之臣，妖孽之妻，不孝之子，是为四不用。经曰：邪友坏人，佞臣乱朝，孽妇破家，恶子危亲。"

王曰："相与爱厚，宜念旧好，不可孤弃也。"孛曰："有十事知爱厚：远别不忘，相见喜欢，美味相呼，过言忍之，闻善加欢，见恶忠谏，难为能为，不相传私，急事为解，贫贱不弃，是为十爱厚。经曰：化恶从善，切磋以法，忠正诲励，义合友道。"

王曰："四臣之恶，乃使孛恚，不复喜我。"孛曰："有八事知不相喜：相见色变，眄睐[3]邪视，与语不应，说是言非，闻衰快之，闻盛不喜，毁人之善，成人之恶，是为八事。经曰：平斗杀人,尚有可原。怀毒阴谋,是意难亲。"

王曰:"是我顽弊,不别明闇,恶人所误,遂失圣意。"孛曰:"有十事知人为明:别贤愚,识贵贱,知贫富,适难易,明废立,审所任,入国知俗,穷知所归,博闻多识,达于宿命,是为十事。经曰:缓急别友,战斗见勇,论议知明,谷贵识仁。"

王曰:"自我得孛,中外怗[4]安,今日相舍,永无所恃。"孛曰:"有八事可以怗安:得父财,有善,所学成,友贤善,妇贞良,子孝慈,奴婢顺,能远恶,是为八事。经曰:生而有财,得友贤快,诸恶无犯,有福祐快。"(《佛说孛经抄》)

【注释】

[1]《佛说孛经抄》,一卷,东吴居士支谦译。该经述佛陀住在祇园时,有孙陀利女,诽谤称怀了佛的胎儿。其后,波斯匿王察知其情,佛陀乃为其说往昔行菩萨道时,其名为"孛"(bèi),是当时的国师,受到四臣和夫人的毁谤,久后方明的因果之事,今日之事,亦复如是。经中处处点世间善恶之理,其中论四种友一节文字,显示出对人情世态的深刻洞察,堪称佛门中的"交友论"。

[2]支谦,三国时期重要译经家。三世纪末大月氏人,字恭明。来中国后,因避乱入吴,颇受吴主孙权之礼遇,并尊为博士,致力于佛典汉译工作三十余年,译出大量佛经。

[3]眄(miǎn)睐(lài):观望、顾盼。

[4]怗(tiē):安宁。

《佛说太子瑞应本起经》[1]（节选）

[三国吴]支谦

　　菩萨初下，化乘白象，冠日之精。因母昼寝，而示梦焉，从右胁入。夫人梦寤，自知身重，王即召问太卜，占其所梦。卦曰："道德所归，世蒙其福，必怀圣子。"菩萨在胎，清净无有臭秽。于是群臣诸小国王，闻大王夫人有娠，皆来朝贺。……到四月八日夜明星出时，化从右胁生堕地，即行七步，举右手住而言："天上天下，唯我为尊。三界皆苦，何可乐者？"

　　是时天地大动，宫中尽明。梵释神天，皆下于空中侍。四天王接置金机上，以天香汤，浴太子身。身黄金色，有三十二相[2]，光明彻照，上至二十八天[3]，下至十八地狱，极佛境界，莫不大明。……夫人即裹以白襁，乳母抱养，字名悉达。王告夫人："子生非凡，吾国有道人，名曰阿夷，年百余岁，耆旧多识，明晓相法；今欲共行相子可乎？"夫人曰："佳！"即严驾白象，导从伎乐，出诣道人，赐黄金白银各一囊，道人不受。披襁相太子，见有三十二相：躯体金色，顶有肉髻，其发绀青，眉间白毫，项有日光，目睫绀色，上下俱瞬，口四十齿，齿白齐平，方颊车广，长舌七合，满师子膺，身平正，修臂指长，足跟满安平趾，手内外握，合缦掌手，足轮千辐理，阴马藏，鹿腨[4]肠，钩锁骨，毛右旋，一一孔一毛生，皮毛细软，不受尘水，胸有万字。阿夷见此，乃增叹流泪，悲不能言。

　　王夫人惧，拜手而问："有不祥乎？愿告其意。"举手答曰：

"吉无不利！敢贺大王，得生此神人。昨暮天地大动者，其正为此矣。我相法曰：王者生子，而有三十二大人相者，处国当为转轮圣王，主四天下，七宝自至，行即能飞，兵仗不用，自然太平。若不乐天下，而弃家为道者，当为自然佛，度脱万姓。伤我年已晚暮，当就后世，不睹佛兴，不闻其经，故自悲耳！"

王深知其能相，为起宫室，作三时殿，各自异处——雨时居秋殿，暑时居凉殿，寒雪时居温殿——选五百妓女，择取端正，不肥不瘦，不长不短，不白不黑，才能巧妙，各兼数妓；皆以白珠名宝，璎珞其身，百人一番，迭代宿卫。其殿前列种甘果树，树间浴池，池中奇华异类之鸟，数千百种，严饰光目，趣悦太子意，不欲令学道。宫墙牢固，门开闭声，使闻四十里。太子生日，王家青衣，亦生苍头，厩生白驹，及黄羊子。奴名车匿，马名揵陟。王后常使车匿侍从，白马给乘。

适生七日，其母命终，以怀天人师，功福大故，上生忉利，封受自然。菩萨本知母人之德，不堪受其礼故，因其将终，而从之生。

及至七岁，而索学书，乘羊车诣师门。时去圣久，书缺二字，以问于师，师不能达，反启其志。至年十岁，妙才益显。太子有从伯仲之子兄弟二人，长名调达，其次曰难陀。调达虽有高世之才，自然难暨[5]，然而自侨，常怀嫉意。请戏后园，的附铁鼓，俱挽强而射之。太子每发，中的彻鼓。二人不如，以为鄙耻。久后又请，手搏于王前，要不如者，灌之以水。太子慈仁，虽擗[6]昆弟，不令身痛。二人久后复请桷力。难陀前牵鼻象，掣之至庭；调达力壮，挽而扑之；太子含笑，徐前接象，举掷墙外，使无死伤。于是二人，乃觉不如；王与左右，益知非恒。

至年十四，启王出游，欲观施为。王敕令左右百官导从。始出城东门，天帝化作病人，身瘦腹大，倚门壁而喘息。太子问曰："此为何人？"其仆曰："病人也。""何谓为病？"对曰："凡病者，皆由风寒，或热或冷，此人必以饮食不节、卧起无常，故得斯病。"太子曰："一何苦哉！吾处富贵，饮食快口，亦有不节，当复有病，与此何异？"即回车还，悲念人生俱有此患，岂以豪强，独得免耶！遂忧不食，自念不能婴此病也。王问其仆："太子出游，宁不乐乎？"对曰："逢见病人，以此不悦。"王即增五百妓女，昼夜娱乐之。王心愁忧，恐其学道。数年小差，即复白王："闭在宫中，其日致久，思欲出游。"王不忍拒，预敕国中，太子当出，无令疾病诸不洁净在道侧也。

太子驾乘，出南城门。天帝复化作老人，头白背偻，拄杖羸步。太子问曰："此为何人？"其仆曰："老人也。""何如为老？"对曰："年耆根熟，形变色衰，饮食不化，气力虚微，坐起苦极，余命无几，故谓之老。"太子曰："有何乐哉！日月流迈，时变岁移，物生于春，秋冬悴枯，老至如电，身安足恃？"回车而还，愍念人生丁壮不久，有老有病，其痛难忍，吾不能久居天下婴此苦也，又忧不食。王悔令出，复增五百妓女，以娱乐之。

数年小差，复欲出游。王曰："汝每出观，还辄不乐，唯忧消瘦，又出何为？"太子曰："念彼苦耳，年大当差。"王敕国中，莫使老病诸不洁净在道侧也。

太子驾乘，出西城门。天帝复化作死人，室家男女，持幡随车，啼哭送之。太子又问："此为何人？"其仆曰："死人也。""何如为死？"曰："死者尽也，寿有长短，福尽命终，气绝神逝，形骸消索，故谓之死。人物一统，无生不终。"太子曰："夫死痛矣，精神剧矣！生当有此老病死苦,莫不热中,迫而就之,不亦苦乎？吾见死者,形坏体化,而神不灭,随行善恶,祸福自追,富贵无常,身为危城。是故圣人,常以身为患;而愚者保之,至死无厌。吾不能复以死受生,往来五道,劳我精神。"回车而还,愍念天下有此三苦,忧不能食。王益不乐,曰:"国是汝有,当理人物,何为远虑,以自疲苦？"复增五百妓女,以娱乐之。

太子至年十七,王为纳妃,简阅国中名女数千,无可意者。最后一女,名曰瞿夷,端正好洁,天下第一;贤才过人,礼义备举,是则宿命卖华女也。太子虽纳,久而不接,妇人之情欲有附近之意,太子曰:"常得好华,置我中间,共视之,宁好乎？"瞿夷即具好华,又欲近之。太子曰:"却此华,有汁污瘀床席。"久后复曰:"得好白叠毛,置我中间,两人观之,不亦好乎？"妇即具叠毛,又有近意。太子曰:"却汝,有污垢,必污此叠毛。"妇不敢近。傍侧侍女,咸有疑意,谓不能男。太子以手指妃腹曰:"却后六年,尔当生男。"遂以有身。

于是太子,复启游观。出北城门,天帝复化作沙门,法服持钵,视地而行。太子问曰:"此为何人？"其仆曰:"沙门也。""何谓沙门？"对曰:"盖闻沙门之为道也,舍家妻子,捐弃爱欲,断绝六情,守戒无为,其道清净,得一心者,则万邪灭矣。一心之道,谓之罗汉。罗汉者,真人也,声色不能污,荣位不能屈,难动如地,已免忧苦,存亡自在。"太子曰:"善哉！唯是为快。"即回车还。斋思不食,念道清净,不宜在家,当处山泽,研精行禅。瞿夷心疑,知其欲去,坐起不离其侧。至年十九,四月八日夜,天于窗中,叉手白言:"时可去矣！"太子仰而答曰:"迫有侍卫,欲去无从？"天神即厌其妻、诸妓女辈,皆令卧睡。

太子徐起，听妻气息，视众伎女，皆如木人，百节空空，譬如芭蕉。中有乱头猗鼓，委担伏琴，更相荷枕，臂脚垂地，鼻涕目泪，口中流涎。琴瑟筝笛，乐器纵横，鸡鹊[7]鸳鸯，警备之辈，皆悉淳昏而卧。太子遍观，旋视其妻，具见形体，发爪髓脑，骨齿髑髅，皮肤肌肉，筋脉肪血，心肺脾肾，肝胆肠胃，屎尿涕唾，外为革囊，中盛臭处，无一可奇；强熏以香，饰以华彩。譬如假借当还，亦不得久计，百年之寿，卧消其半；又多忧患，其乐无几。淫佚败德，令人愚痴，非彼诸佛别觉真人所称誉也。故曰："贪淫致老，嗔恚致病，愚痴致死。除此三者，乃可得道。"

一心念是已，便起瞻沸星，夜其过半，见诸天，于上叉手，劝太子去。即呼车匿，徐令被马，褰裳跨之，徘徊于庭，念开门当有声。天王维睒，久知其意，即使鬼神，捧举马足，并接车匿，逾出宫城，到于王田阎浮树下。明日宫中骚动，不知太子所在，千乘万骑，络绎而追。王因自到田上，遥见太子，坐于树下。日光赫烈，树为曲枝，随荫其躯。王悚然悟惊，乃知其神，不识下马，为作礼时，太子亦即前拜曰："自我为子，希曾出国，今一适此，大王何宜枉来，愿用时还。今我所以欲离世者，以自所见，恩爱如梦，室家欢娱，皆当别离。贪欲为狱，难得免出。故曰：以欲网自蔽，以爱盖自覆，自缚于狱，如鱼入笱口，为老死所伺，如犊求母乳。吾恒以是，常自觉悟，愿求自然，欲除众苦。诸未度者，吾欲度之；诸未解者，吾欲解之；诸不安者，吾欲安之；未见道者，欲令得道。故欲入山，求我所愿，得道当还，不忘此誓。"

王知其志固，惘然不知所言。便自还宫，谓瞿夷曰："如吾子心，清白难动如地，不乐富贵，不慕于天下，唯道是欲，自期必逮。"

于是太子，攀树枝见耕者，垦壤出虫，乌随啄吞，感伤众生，鱼鳞相咀，其不仁者，为害滋甚，死堕恶道，求出良难。诸天虽乐，而亦非常，福尽则惧，罪至亦怖，祸福相承，生死弥久。观见人间，上至二十八天，贵极而无道，皆与地狱对门。三恶道处，痛酷百端，欢乐暂有，忧畏延长。天地之间，无一可奇，吾不能复为欲惑矣！[8]

……行数十里，逢两猎客，太子自念："我已弃家，在此山泽，不宜如凡人被服宝衣，有欲态也。"乃脱身宝裘，与猎者贸鹿皮衣。到前下马，遣车匿还。车匿长跪曰："今随大天，不可独还。"太子曰："汝可径归，上白大王，及谢舍妻，今求无为大道，勿以我为忧。"即脱宝冠及著身衣，悉付车匿。于是白马，屈膝舐足，泪如连珠。车匿悲泣，随路而啼。顾视太子，已被鹿皮衣，变服去矣。

车匿步牵马还，宫都中外，莫不惆怅。瞿夷啼哭，自投殿下曰："我望太子，如渴欲饮，汝今与马返独空归？"前抱马颈，问太子所在。车匿曰："太子上白大王及谢舍妻，今求无为大道，勿以我为忧。"瞿夷啼哭曰："一何薄命，生亡我所天。为在何许？当那求之？"抚马背曰："太子乘汝出，汝何独来归？"举国人民，莫不歔欷。王悲噢咿，涕泣交流，谓瞿夷曰："如吾子所觉，老病死苦，实为大患。此神人也，其生之日，上帝亲下，万神侍卫，符瑞光相，非世所见。阿夷相言：若不乐天下，而弃家为道者，必为自然佛，当度脱万姓。今辞学道，乃自然乎？"

王欲解瞿夷意，亦自感激，即选国中豪贤，得数千人，择有累重多子孙者，取五人现之。王曰："汝等于家长子抱孙，独曰

14

欢耶？吾有一子未曾出门，一旦舍我，远涉深山，溪谷险阻，吉凶之难，寒暑饥渴，谁得知者？烦卿五人，各遣一子，追求索之，得必随侍。如有中道委而还者，吾灭汝族属。"于是阿若拘邻[9]等五人，受命追太子。及于深山，随侍数年。太子不与语，自行如故，陟涉山岗，蔓逾深谷。五人苦之，言："此狂人耳，何道之有？行不择路，奚可随也？设委还者，王灭吾家，不如止此。"五人所止，有好泉水，甘果不乏。

太子自去，逾越名山，经摩竭界。瓶沙王出田猎，遥见太子，行山泽中。即与诸耆长大臣，俱追见之。王曰："太子生多奇异、形相炳著，当君四天下，为转轮圣王，四海颙颙[10]，冀神宝至。何弃天位，自放山薮？必有异见。愿闻其志。"太子答曰："以吾所见，天地人物，出生有死，剧苦有三，老病死痛，不可得离。计身为苦器，忧畏无量，若在尊宠，则有憍佚，贪求快意，天下被患，此吾所厌，故欲入山以修其志。"诸耆长曰："夫老病死，自世之常，何独豫忧，乃弃美号，隐遁潜居，以劳其形，不亦难乎？"

太子答曰："如诸君言，不当豫忧。使吾为王，老到病至，若当死时，宁有代我受此厄者不？如无有代，胡可勿忧！天下虽有慈父孝子，爱彻骨髓，至病死时，不得相代；若此伪身，苦至之日，虽居高位，六亲在侧，如为盲人设烛，何益于无目者乎？吾观众行，一切无常，皆化非真，乐少苦多，身非己有，世间虚无，难得久居。物生有死，事成有败，安则有危，得则有亡，万物纷扰，皆当归空。精神无形，躁浊不明，行致死生之厄，非直一受而已。但为贪欲，蔽在痴网，没生死河，莫之能觉。故吾欲一心思四空净，度色灭恚，断求念空，无所适莫，是将反其源，而归其本,始出其根,如我愿得,乃可大安。"

瓶沙王喜曰:"善哉!菩萨志妙,世间难有,必得佛道,愿先度我。"太子默然而逝。当度尼连禅河,天神为止流,令中暂干。太子渡河,行数十里,见三梵志,各与弟子,索居溪边。过问其道,自称言:"吾事梵天,奉于日月,日修火祠,唯水是净。"菩萨答曰:"是故生死道耳!水不常满,火不久热,日出则移,月满则亏,道在清虚,水焉能令人心净?"伤之而去,行起慈心,遍念众生老耄专愚,不免疾病,死丧之痛,欲令解脱以一其意,而起悲心。愍伤一切,皆有饥渴寒暑、得失罪咎艰难之患,欲令安隐以一其意,而起喜心。念诸世间,皆有忧苦恐怖遭逢之患,欲令恬恢以一其意,而起护心。欲度五道八难之生,愚蔽矇闇,不见正道,念欲成济,使得无为,以一其意,得善不喜、逢恶不忧,舍世八事,利、衰、毁、誉、称、讥、苦、乐,不以倾动。[11]

既历深山,到幽闲处,见贝多树,四望清净。自念:"我已弃家,在此山泽,不宜复饰发如凡人意。以有栉梳汤沐之念,则失净戒、正定、慧、解、度知见意,非道之纯、污清净行。当作沙门如菩萨法。"天神奉剃刀,须发自堕,天受而去。菩萨即拾槁草,以用布地,正基坐,叉手闭目,一心誓言:"使吾于此肌骨枯腐,不得佛,终不起。"天神进食,一不肯受。天令左右,自生麻米,日食一麻一米,以续精气。端坐六年,形体羸瘦,皮骨相连,玄清靖漠,寂默一心。内思安般,一数、二随、三止、四观、五还、六净,游志三四,出十二门,无分散意。神通微妙,弃欲恶法,无复五盖,不受五欲。众恶自灭,念计分明,思想无为,譬如健人得胜怨家,意以清净,成一禅行。心自开解,却情欲意,无恶可改,不复计视,念思已灭。譬如山顶之泉,水自中出,盈流于外,溪谷雨潦，无缘得入。恬惔守一，欣然不移，成二禅行。又弃喜意，唯见无淫，外诸好恶，一不得入，内亦不起，心正身安，譬如莲华根在水中，华合未开，根茎枝叶，润渍水中，以净见真，成三禅行。弃苦乐意，无忧喜想，心不依善，亦不附恶，正在其中；如人沐浴洁净，覆以鲜好白叠毛，中外俱净，表里无垢，喘息自灭，寂然无变，成四禅行。譬如陶家和埴调柔，[12]中无沙砾，在作何器，精进开发，无所不能，以得定意；不舍大悲，智慧方便，究畅要妙，通三十七道品之行——所谓四意止、四意断、四神足念、五根、五力、七觉、八道，周而复始，无复瑕秽，意在三向：一惟向空，念灭不散，无操无舍；二向无想，心定不起，好恶不思。三向不愿，不乐三界，不复生苦。便得三活：一离贪欲，二离嗔恚，三离愚痴，无复挂碍。

于是第六化应声天，天上魔王，见菩萨清净无欲，精思不懈，心中烦毒，饮食不甘，伎乐不御，念："是道成，必大胜我。欲及其未作佛，当坏其道意。"魔子萨陀，前谏父曰："菩萨行净，三界无比，以得自然神通，众梵诸天亿百，皆往礼侍，此非天王所当沮坏，无为兴恶自亏福也。"魔王不听，召三玉女：一名欲妃，二名悦彼，三名快观，使行坏菩萨意。三女皆被罗縠之衣，服天名香，璎珞珠宝，极为妖冶巧媚之辞，欲乱其意。菩萨心净，如琉璃珠，不可得污。三女复白曰："仁德至重，诸天所敬，应有供养，故天献我。我等好洁，年在盛时，天女端正，莫有殊我者，愿得晨起夜寐，供侍左右。"

菩萨答曰："汝宿有福，受得天身，不惟无常，而作妖媚，形体虽好，而心不端。譬如画瓶中盛臭毒，将以自坏。有何等奇，福难久居，淫恶不善，自亡其本。死即当堕三恶道中，受鸟兽形,欲脱致难。汝辈乱人正意,非清净种,革囊盛屎而来何为?去!吾不用汝。"其三玉女,化成老母,不能自复。魔王益忿,更召诸鬼神,合得一亿八千万众,皆使变为师子熊罴、虎兕象龙牛马、犬豕猴猿之形,不可称言。虫头人体,蚖蛇之身,鼍龟之首而六目,或一颈而多头,齿牙爪距,担山吐火,雷电四绕,护持戈矛。菩萨慈心,不惊不怖,一毛不动,光颜益好。鬼兵退散,不能得近。

……菩萨累劫清净之行,至儒大慈,道定自然,忍力降魔,鬼兵退散,定意如故。不以智虑,无忧喜想,是日初夜,得一术阇,自知宿命,无数劫来,精神所更,展转受身,不可称计,皆识知之。至二夜时,得二术阇,悉知众生心中所念,善恶殃福,生死所趣。至三夜时,得三术阇,漏尽结解,自知本昔久所习行四神足念:精进定、欲定、意定、戒定,得变化法。所欲如意,不复用思,身能飞行,能分一身,作百作千,至亿万无数,复合为一;能彻入地,石壁皆过,从一方现,俯没仰出,譬如水波;能身中出水火,履水行虚,身不陷坠;坐卧空中,如鸟飞翔;立能及天,手扪日月;欲身平立,至梵自在;眼能彻视,耳能洞听,意悉预知,诸天、人、龙、鬼神、蚑行蠕动之类,身行口言心所欲念,悉见闻知。诸有贪淫无贪淫者,有嗔恚无嗔恚者,有愚痴无愚痴者,有爱欲无爱欲者,有大志行无大志行者,有内外行无内外行者,有念善无念善者,有一心无一心者,有解脱意无解脱意者,一切悉知。

菩萨观见天上、人中、地狱、畜生、鬼神五道,先世父母兄弟妻子,中外姓字,一一分别;一世十世,百千万亿无数世事,至于天地一劫、崩坏空荒之时,一劫始成,人物兴时,能知十劫

18

百劫,至千万亿无数劫中,内外姓字,衣食苦乐,寿命长短,死此生彼,展转所趣。从上头始,诸所更身,生长老终,形色好丑,贤愚苦乐,一切三界,皆分别知。见人魂神,各自随行,生五道中,或堕地狱,或堕畜生,或作鬼神,或生天上,或入人形,有生豪贵富乐家者,有生卑鄙贫贱家者,知诸众生,或五阴自蔽:一色像,二痛痒,三思想,四行作,五魂识;皆习五欲:眼贪色,耳贪声,鼻贪香,舌贪味,身贪细滑;牵于爱欲,或于财色,思望安乐,从是生诸恶本,从恶致苦。能断爱习,不随淫心,大如毛发,受行八道,则众苦灭矣。譬如无薪,亦复无火,是谓无为度世之道。……佛得定意,一切知见,坐自念言:"是实微妙,难知难明,甚难得也。高而无上,广不可极;渊而无下,深不可测;大包天地,细入无间。昔定光佛[13]时,别我为佛,名释迦文。今果得之。从无数劫,勤苦所求,适今得耳。自念宿命,诸所施为,慈孝仁义,礼敬诚信,中正守善,虚心学圣,柔弱净意,行六度无极,布施持戒,忍辱精进,一心智慧。习四等心,慈悲喜护;养育众生,如视赤子;承事诸佛,积德无量;累劫勤苦,不望其功,今悉自得。"喜自说曰:

今觉佛极尊,弃淫净无漏。

一切能将导,从者必欢预。

夫福之报快,妙愿皆得成。

愍疾得上寂,吾将逝泥洹。

【注释】

[1]本经为重要的佛传类经典之一,凡二卷,又作《太子本起瑞应经》《瑞应本起经》《瑞应经》。收于《大正藏》第三册,经

号0185。本经记述释迦牟尼由出生到出家修道直至成道的事迹,有关四门出游、出城时内殿之描写,与车匿诀别、降魔成道等记载,气势磅礴雄浑,在叙事之中将佛教修行的要旨揭示出来,为重要的早期佛传文献。

[2]三十二相:据佛教经典,系转轮圣王及佛之应化身所具足之三十二种殊胜容貌与微妙形相,又作三十二大人相、三十二大丈夫相等。其名称顺序有各种异说,本节下亦列出若干。具体可参看《中阿含经》卷十一"三十二相经"。

[3]二十八天:谓欲界之六天、色界之十八天,与无色界之四天。欲界六天即:四王天、忉利天、夜摩天、兜率天、乐变化天、他化自在天。色界十八天即:梵众天、梵辅天、大梵天、少光天、无量光天、光音天、少净天、无量净天、遍净天、无云天、福生天、广果天、无想天、无烦天、无热天、善见天、善现天、色究竟天。无色界之四天即:空无边处、识无边处、无所有处、非想非非想处。

[4]腨(shuàn):小腿肚子。

[5]暨:限制、遏制,谓调达恶心难以调伏。

[6]擗(pǐ):捶打。

[7]鵁(jiāo)鶄(jīng):即池鹭。

[8]这一节文字所描述的世间种种情状,正是觉悟的开始,也说明之所以要出离生死的原因。"贵极而无道,皆与地狱对门",令人警醒。

[9]又作阿若憍陈如、阿若多憍陈如、阿若俱邻等,后世佛经以"憍陈如"最为通用。他们五人受国外派遣,随太子修道,后成为佛陀最早度化的五比丘。

[10]颙颙：仰望。

[11]这一节文字，表明世间外道虽亦修道，但因不明大道，其所行并不能真正出离生死，以此揭示佛教与一切外道之不同。其后所述，已概括出大乘佛教之宗旨，故知支谦所译此经，乃大乘佛教对于佛陀一生行事之描述，处处含蕴大乘佛理。

[12]埴(zhí)：黏土。这一节文字描述佛陀成道前修习四禅定的过程，明示此小乘教法为大乘佛法之根基。其后降伏众魔，回小向大，而得彻悟。

[13]定光佛：又作锭光佛、燃灯佛、然灯佛。据《过去现在因果经》等记载，释迦牟尼在因行中第二阿僧祇劫届满时，刚好此佛出世，他买了五茎莲花去供佛，又以头发铺地供佛走路，佛即为他授未来成佛的记别。

《六度集经》[1]（节选）

[三国吴]康僧会[2] 译

忍辱度无极者，厥则云何？菩萨深惟："众生识神，以痴自壅，贡高自大，常欲胜彼，官爵、国土、六情之好，己欲专焉。若睹彼有，愚即贪嫉，贪嫉处内、嗔恚处外，施不觉止，其为狂醉，长处盲冥矣。展转五道，太山烧煮，饿鬼畜生，积苦无量。"菩萨睹之即觉，怅然而叹："众生所以有亡国破家、危身灭族，生有斯患，死有三道之辜，皆由不能怀忍行慈，使其然矣。"菩萨觉之，即自誓曰："吾宁就汤火之酷、菹醢[3]之患，终不恚毒加于众生也。夫忍不可忍者，万福之原矣。"自觉之后，世世行慈，众生加己，骂詈捶杖，夺其财宝，妻子国土，危身害命，菩萨辄以诸佛忍力之福，迮[4]灭毒恚，慈悲愍之，追而济护，若其免咎，为之欢喜。

昔者菩萨，厥名曰睒[5]，常怀普慈，润逮众生，悲愍群愚，不睹三尊。将[6]其二亲，处于山泽，父母年耆，两目失明，睒为悲楚，言之泣涕。夜常三兴，消息寒温，至孝之行，德香熏乾，地祇海龙国人并知。奉佛十善，不杀众生，道不拾遗，守贞不娶，身祸都息；两舌恶骂，妄言绮语，谮谤邪伪，口过都绝；中心众秽，嫉恚贪餮，心垢都寂。信善有福，为恶有殃。以草茅为庐，蓬蒿为席，清净无欲，志若天金。山有流泉，中生莲华，众果甘美，周旋其边，凤兴采果，未尝先甘，其仁远照，禽兽附恃。二亲时渴，睒行汲水，迦夷国王入山田猎，弯弓发矢，射山麋鹿，误中睒胸，矢毒流行，其痛难言。左右顾眄，涕泣大言："谁以一矢杀三道士者乎？吾亲年耆，又俱失明，一朝无我，普当殒命。"抗声哀曰："象以其牙，犀以其角，翠以其毛，吾无牙角，光目之毛，将以何死乎？"王闻哀声，下马问曰："尔为深山乎？"答曰："吾将二亲，处斯山中，除世众秽，学进道志。"

　　王闻睒言，哽噎流泪，甚痛悼之。曰："吾为不仁，残夭物命，又杀至孝。"举哀云："奈此何？"群臣巨细，莫不哽咽。王重曰："吾以一国救子之命，愿示亲所在，吾欲首过。"曰："便向小径，去斯不远，有小蓬庐，吾亲在中。为吾启亲，自斯长别，幸卒余年，慎无追恋也。"势复举哀，奄忽而绝。王逮士众，重复哀恸，寻所示路，到厥亲所。王从众多，草木肃肃有声，二亲闻之，疑其异人，曰："行者何人？"王曰："吾是迦夷国王。"亲曰："王翔兹甚善，斯有草席，可以息凉，甘果可食，吾子汲水，今者且还。"王睹其亲，以慈待子，重为哽噎。王谓亲曰："吾睹两道士，以慈待子，吾心切悼，甚痛无量。道士子睒者，吾射杀之。"亲惊怛⁅¹⁆曰："吾子何罪，而杀之乎？子操仁恻，蹈地常恐地痛，其有何罪，而王杀之？"王曰："至孝之子，实为上贤，吾射麋鹿，误中之耳！"曰："子已死，将何恃哉？吾今死矣。惟愿大王，牵吾二老，著子尸处，必见穷没，庶同灰土。"王闻亲辞，又重哀恸，自牵其亲，将至尸所。父以首著膝上，母抱其足，鸣口吮足，各以一手，扪其箭疮，椎胸搏颊，仰首呼曰："天神地神、树神水神，吾子睒者，奉佛信法，尊贤孝亲，怀无外之弘仁，润逮草木。"又曰："若子审奉佛，至孝之诚上闻天者，箭当拔出，重毒消灭，子获生存，卒其至孝之行；子行不然，吾言不诚，遂当终没，俱为灰土。"天帝释、四天大王、地祇、海龙，闻亲哀声，信如其言，靡不扰动。

帝释身下,谓其亲曰:"斯至孝之子,吾能活之。"以天神药,灌睒口中,忽然得稣。父母及睒,王逮臣从,悲乐交集,普复举哀。王曰:"奉佛至孝之德,乃至于斯。"遂命群臣:"自今之后,率土人民,皆奉佛十德之善,修睒至孝之行。"一国则焉,然后国丰民康,遂致太平。

佛告诸比丘:吾世世奉诸佛至孝之行,德高福盛,遂成天中之天,三界独步。时睒者,吾身是。国王者,阿难是。睒父者,今吾父是。母者,吾母舍妙是。天帝释者,弥勒是也。菩萨法忍度无极,行忍辱如是。(《六度集经》卷五《忍辱度无极章》)

【注释】

[1]《六度集经》八卷,又作《六度无极经》《六度集》等,三国时代吴康僧会译。收于《大正藏》第三册,经号0152。系集录佛陀在过去世行菩萨道时的本生谭故事,共九十一则,配合大乘佛教所说布施、持戒、忍辱、精进、禅定、智慧等六度而成者,故名《六度集经》。

[2]康僧会,交趾(越南北部)人,其先世出自康居国(今新疆北部)。世居印度,至其父因经商始移居交趾。三国吴赤乌十年(247)至建业,以种种神通之力感化孙权,遂皈依之,并为之建立建初寺,传道译经。

[3]菹(zū)醢(hǎi):古时一种酷刑,把人剁成肉酱。

[4]迮(zé):逼迫。

[5]睒(shǎn):释迦牟尼前身行菩萨道时化身为童子之名。佛教中有《菩萨睒子经》,见《大正藏》第3册,经号0174,专

记睒忍辱行孝之事,与此经略同。《睒子经》以宣扬仁孝为宗旨,与中土伦理观念相吻合,故在中国古代产生较大影响。早期佛教论著《理惑论》里即利用这个故事为佛教作辩护,睒则被视为周朝人物,"睒子孝亲"的故事也被列入"二十四孝"。

[6]将:供养、奉养。

[7]怛(dá):惊惧。

《那先比丘经》[1]（节选）

[晋]失译人名

王便问那先："卿字何等？"那先言："父母字我为那先，便呼我为那先。有时父母呼我为维先，有时父母呼我为首罗先，有时父母呼我维迦先，用是故，人皆识知我，世间人皆有是字耳。"王问那先："谁为那先者？"王复问言："头为那先耶？"那先言："头不为那先也。"王复问："眼、耳、鼻、口，为那先耶？"那先言："眼、耳、鼻、口，不为那先。"王复问："颈、项、肩、臂、足、手，为那先耶？"那先言："不为那先。"王复问："髀脚为那先耶？"那先言："不为那先。"王复问："颜色为那先耶？"那先言："不为那先。"王复问："苦乐为那先耶？"那先言："不为那先。"王复问："善恶为那先耶？"那先言："不为那先。"王复问："身为那先耶？"那先言："不为那先。"王复问："肝、肺、心、脾、脉、肠、胃，为那先耶？"那先言："不为那先。"王复问："颜色、苦乐、善恶、身心，合是五事，宁为那先耶？"那先言："不为那先。"王复问："假使无颜色、苦乐、善恶、身心，无是五事，宁为那先耶？"那先言："不为那先。"王复问："声响喘息为那先耶？"那先言："不为那先。"王复问："何所为那先者？"

那先问王："言名车，何所为车者？轴为车耶？"王言："轴不为车。"那先言："辋[2]为车耶？"王言："辋不为车。"那先言："辐为车耶？"王言："辐不为车。"那先言："毂[3]为车耶？"王言："毂不为车。"那先言："辕[4]为车耶？"王言："辕不为车。"那先言：

"辋[5]为车耶?"王言:"辋不为车。"那先言:"舆[6]为车耶?"王言:"舆不为车。"那先言:"扛为车耶?"王言:"扛不为车。"那先言:"盖为车耶?"王言:"盖不为车。"那先言:"合聚是诸材木,着一面宁为车耶?"王言:"合聚是诸材木,着一面不为车也。"那先言:"假令不合聚是诸材木,宁为车耶?"王言:"不合聚是诸材木,不为车。"那先言:"音声为车耶?"王言:"音声不为车。"那先言:"何所为车者?"王便默然不语。那先言:"佛说之:如合聚是诸材木,用为车,因得车。[7]人亦如是,合聚头、面、耳、鼻、口、颈、项、肩、臂、骨肉、手足、肝、腑、心、脾、肾、肠、胃、颜色、声响、喘息、苦乐、善恶,合聚名为人。"王言:"善哉!善哉!"(《那先比丘经》卷上)

【注释】

[1]《那先比丘经》,二卷(或三卷),约译于东晋(317~420)年间,译者佚名,收于大正藏第三十二册,经号1670。那先系梵文那伽犀那之略称,意译为龙军、象军,系记录印度佛教僧侣那先与大夏国王弥兰多罗斯相互论难,而使之皈依佛教的经过。本经内容着重于阐明缘起、无我、业报、轮回等佛教基本教义,文体流利简洁,在佛教文学史上有重要地位。

[2]辋(wǎng):车轮周围的框子。

[3]毂(gǔ):车轮中心,有洞可以插轴的部分。

[4]辕(yuán):车前驾牲畜的两根直木。

[5]轭(è):驾车时搁在牛马颈上的曲木。

[6]舆(yú):车中装载东西的部分。

[7]本经这节议论使我们想到道家典籍《老子》第十一章

"三十辐，共一毂"、第三十九章"故致数车无车"、《庄子·则阳》
"指马之百体而不得马，而马系于前者，立其百体而谓之马也"
等论述。成玄英注释《老子》第十一章，即谓："舆，车也，箱、辐、
毂、辋，假合而成，徒有车名，数即无实。五物四大，为幻亦然。
所以身既浮处，贵将安寄？"一部车子是由很多部件组合而成，
但是那些部件哪一个都不名为车，组合在一起却有车之用。佛
教认为，一切合聚的东西皆属缘起法，缘合则成，缘散则灭，非
有而有，幻相不实，生灭无常，终归于空，缘起的东西本身并无
一个永恒、必然存在的实体。马身、人身等也是如此，由此来破
斥我执，而倡导"无我"，所谓"我"也不过是一个名字而已。由
《那先比丘经》与《老子》《庄子》之间的关联，可以看到佛教与
中华文化之间的密切关联。

《佛说孝子经》[1]

[晋]失译人名

　　佛问诸沙门："亲之生子，怀之十月，身为重病，临生之日，母危父怖，其情难言。既生之后，推燥卧湿，精诚之至，血化为乳，摩拭澡浴。衣食教诏，礼赂师友，奉贡君长。子颜和悦，亲亦欣豫。子设惨戚，亲心焦枯。出门爱念，入则存之。心怀惕惕，惧其不善。亲恩若此，何以报之？"[2]诸沙门对曰："唯当尽礼，慈心供养，以赛亲恩。"世尊又曰："子之养亲，甘露百味以恣其口，天乐众音以娱其耳，名衣上服光耀其身，两肩荷负周流四海，讫子年命以赛养恩，可谓孝乎？"诸沙门曰："惟孝之大，莫尚乎兹。"世尊告曰："未为孝矣！若亲顽闇，不奉三尊[3]，凶虐残戾，滥窃非理。淫佚外色，伪辞非道，酖勉荒乱，违背正真，凶孽若斯，子当极谏，以启悟之。若犹瞢瞢未悟，即为义化，当牵譬引类，示王者之牢狱，诸囚之刑戮曰：斯为不轨，身被众毒，自招殒命。命终神去，系于太山。汤火万毒，独呼无救，由彼履恶，遭斯重殃矣。设复未移，吟泣啼嗷，绝不饮食。亲虽不明，必以恩爱之痛，惧子死矣。犹当强忍，伏心崇道，若亲迁志，奉佛五戒，仁恻不杀，清让不盗，贞洁不淫，守信不欺，孝顺不醉者。宗门之内，即亲慈子孝，夫正妇贞，九族和睦，仆使顺从。润泽远被，含血受恩。十方诸佛，天龙鬼神，有道之君，忠平之臣，黎庶万姓，无不敬爱，祐而安之。数有颠倒之政，佞嬖之辅，凶儿妖妇，千邪万怪，无如已何。于是二亲，处世常安，寿终魂灵，往生天上,诸佛共会,得闻法言,获道度世,长与苦别。"

佛告诸沙门:"睹世无孝,唯斯为孝耳。能令亲去恶为善,奉持五戒,执三自归,朝奉而暮终者,恩重于亲乳哺之养,无量之惠。若不能以三尊之至化其亲者,虽为孝养,犹为不孝。无以挈妻,远贤不亲,女情多欲,好色无倦,违孝杀亲,国政荒乱,万民流亡,本志惠施。礼式自捡,软心崇仁,烝烝进德,潜意寂寞,学志睿达,名动诸天,明齐贤者。自秽妻聚,惑志女色,荒迷于欲,妖蛊姿态,其变万端。薄智之夫,浅见之士,睹其如此,不觉微渐,遂回志没身,从彼魅魅邪巧之乱,或危亲杀君,吝色情荡,忿嫉怠慢,散心盲冥,等行鸟兽。自古世来,无不由之杀身灭宗。是以沙门,独而不双,清洁其志,以道是务。奉斯明戒,为君即保四海,为臣即忠,以仁养民。即父法明,子孝慈,夫信妇贞,优婆塞、优婆夷[4],执行如是,世世逢佛,见法得道。"佛说如是,弟子欢喜。

【注释】

[1]本经为佛教中劝孝的一部经,收于《大正藏》第16册,经号0687。本经从佛教因果报应角度出发,明供养父母不若劝父母为善去恶之旨,体现了佛教对孝道本质的理解。

[2]这一段,从诸多方面写父母对子女的恩情,诚能描述"可怜天下父母心"之心。

[3]三尊:即佛、法、僧三宝,佛教皈依的对象,亦即下文所言"执三自归"。佛教认为,三宝的作用是觉悟人生真相,指导修学要旨,为世间众生楷模,皈依三宝才能超脱生死,或无量福德,故为世间第一大孝。

[4]优婆塞、优婆夷:梵文音译,分别指在家亲近奉事三宝、受持五戒之男女居士,又称善男、信女、清信士、清信女等。

《法句譬喻经》[1]（节选）

[晋]法炬、法立[2] 译

　　昔佛在舍卫国为天人说法，时城中有婆罗门长者，财富无数，为人悭贪，不好布施，食常闭门，不喜人客，若其食时，辄敕门士，坚闭门户，勿令有人，妄入门里，乞丐求索、沙门梵志不能得与其相见。尔时长者，欻[3]思美食，便敕其妻，令作饭食，教杀肥鸡，姜椒和调，炙之令熟。饮食饤饾，即时已办，敕外闭门，夫妇二人坐，一小儿著聚中央，便共饮食。父母取鸡肉著儿口中，如是数过，初不肯废。佛知此长者，宿福应度，化作沙门，伺其坐食，现出坐前，咒愿且言："多少布施可得大富。"长者举头见化沙门，即骂之曰："汝为道士，而无羞耻，室家坐食，何为搪揬[4]？"沙门答曰："卿自愚痴，不知惭羞，今我乞士，何为惭羞？"长者问曰："吾及室家，自相娱乐，何故惭羞？"沙门答曰："卿杀父妻母，供养怨家，不知惭羞，反谓乞士何不惭羞？"

　　于是沙门即说偈言：

　　所生枝不绝，但用食贪欲。

　　养怨益丘冢，愚人常汲汲。

　　虽狱有钩鍱，慧人不谓牢。

　　愚见妻子饰，染著爱甚牢。

　　慧说爱为狱，深固难得出。

　　是故当断弃，不亲欲为安。

　　长者闻偈惊而问之："道人何故而说此语也？"道人答曰：

"案上鸡者,是卿先世时父,以悭贪故,常生鸡中,为卿所食。此小儿者,往昔作罗刹[5],卿作贾客大人,乘船入海,每辄流堕罗刹国中,为罗刹所食。如是五百世寿尽,来生为卿作子,以卿余罪未毕,故来欲相害耳。今是妻者,是卿先世时母,以恩爱深固,故今还与卿作妇。今卿愚痴,不识宿命,杀父养怨,以母为妻,五道生死,轮转无际,周旋五道,谁能知者?唯有道士见此睹彼,愚者不知,岂不惭羞?"于是长者憰[6]然毛竖,如畏怖状,佛现威神,令识宿命,长者见佛,即识宿命,寻则忏悔谢佛,便受五戒,佛为说法,即得须陀洹道。

昔佛在舍卫国,祇洹说法。时有年少比丘,入城分卫,见一年少女人端正无比,心存色欲,迷结不解,遂便成病,食饮不下,颜色憔悴,委卧不起。同学道人,往问讯之:"何所患苦?"年少比丘具说其意,欲坏道心,从彼爱欲,愿不如意,愁结为病。同学谏喻,不入其耳,便强扶持,将至佛所,具以事状,启白世尊。佛告年少比丘:"汝愿易得耳,不足愁结也,吾当为汝方便解之,且起食饮。"比丘闻之,坦然意喜,气结便通。于是世尊将此比丘并与大众,入舍卫城到好女舍,好女已死,停尸三日,室家悲号,不忍埋藏,身体臭胀,不净流出。佛告比丘:"汝所贪惑好女人者,今已如此,万物无常,变在呼吸,愚者观外,不见其恶,缠绵罪网,以为快乐。"

于是世尊即说偈言:

见色心迷惑,不惟观无常。

愚以为美善,安知其非真。

以淫乐自裹,譬如蚕作茧。

智者能断弃,不眄除众苦。

心念放逸者，见淫以为净。

恩爱意盛增，从是造牢狱。

觉意灭淫者，常念欲不净。

从是出邪狱，能断老死患。

于是年少比丘见此女人，死已三日，面色膀烂，其臭难近，又闻世尊，清诲之偈，怅然意悟，自知迷谬，为佛作礼，叩头悔过。佛授自归，将还祇洹[7]，没命精进，得罗汉道。所将大众，无央数人，见色欲之秽，信无常之证，贪爱望止，亦得道迹。

昔佛在舍卫精舍，为天人龙鬼说法。时世有大长者，财富无数，有一息男，年十二三。父母命终，其儿年小，未知生活理家之事，泮散财物，数年便尽，久后行乞，由不自供。其父有亲友长者，大富无数，一日见之，问其委曲，长者愍念，将归经纪，以女配之，给与奴婢车马，资财无数，更作屋宅，成立门户。为人懒惰，无有计校，不能生活，坐散财尽，日更饥困。长者以其女故，更与资财，故复如前，遂至贫乏。长者数饷，用之无道，念叵[8]成就，欲夺其妇，更嫁与人，宗家共议。女窃闻之，还语其夫："我家群强，势能夺卿，以卿不能生活故，卿当云何，欲作何计也？"其夫闻妇言，惭愧自念："是吾薄福，生失覆盖，不习家计、生活之法，今当失妇，乞丐如故。恩爱已行，贪欲情著，今当生别，情岂可胜？"思惟反覆，便兴恶念，将妇入房，"今欲与汝，共死一处"，即便刺妇，还自刺害，夫妇俱死。奴婢惊走，往告长者，长者大小，惊来看视，见其已然，棺殓遣送，如国常法。长者大小，忧愁念女不去，须臾闻佛在世，教化说法，见者欢喜，妄忧除患，将家大小，往到佛所，为佛作礼，却坐一面。佛问长者："为所从来？何以不乐，忧愁之色？"长者白言："居门不德，前嫁一女，值遇愚夫，不能生活，欲夺其妇，便杀妇及身，共死如此。遣送适还，过觐世尊。"佛告长者："贪欲嗔恚，世之常病，愚痴无智，患害之门，三界五道，由此堕渊，展转生死，无央数劫，受苦万端，由尚不悔，岂况愚人，能得识此？贪欲之毒，灭身灭族，害及众生，何况夫妇？"

于是世尊即说偈言：

愚以贪自缚，不求度彼岸。

贪为财爱故，害人亦自害。

爱欲意为田，淫怒痴为种。

故施度世者，得福无有量。

伴少而货多，商人怵惕惧。

嗜欲贼害命，故慧不贪欲。

尔时长者，闻佛说偈，欣然欢喜，忘忧除患，即于座上，一切大小及诸听者，破二十亿恶，得须陀洹道。

【注释】

[1]《法句譬喻经》，共四卷。西晋法炬、法立共译。又作《法句本末经》《法句喻经》《法喻经》。收于《大正藏》第四册，经号0211。本经与《法句经》不同之处在于：它集录了《法句经》之偈约三分之二，加入了若干譬喻故事而成，形成故事与偈颂相互配合的结构。本书所选《喻爱欲品》，表现佛陀为消除众生种种贪欲，以其宿命通之力，示现种种不可思议神通，以开导众生，令其觉悟。

[2]法炬：西晋末僧。永嘉二年(308)参与竺法护翻译《普曜经》，此外译有《楼炭经》《大方等如来藏经》，并与法立共译《法

句譬喻经》《福田经》等。

[3]欻(xū)：忽然。

[4]搪挨：同"搪突"，冒犯之意。

[5]罗刹：原为印度神话中之恶魔名，后常指恶鬼乃至恶人恶事等。

[6]懎(sè)：悲恨的样子。

[7]祇(qí)洹：即祇园。"祇树给孤独园"的简称，印度佛教圣地之一。后常用来指代寺院。

[8]叵(pǒ)：不可。

《中阿含经》[1]（节选）

[晋]瞿昙僧伽提婆[2]等 译

"云何我为汝等长夜说筏喻法，欲令弃舍，不欲令受？犹如山水，甚深极广，长流驶疾，多有所漂，其中无舡，亦无桥梁。或有人来，而于彼岸有事欲度，彼求度时，而作是念：'今此山水，甚深极广，长流驶疾，多有所漂，其中无舡，亦无桥梁而可度者，我于彼岸有事欲度，当以何方便，令我安隐至彼岸耶？'复作是念：'我今宁可于此岸边，收聚草木，缚作椑筏，乘之而度。'彼便岸边，收聚草木，缚作椑筏，乘之而度，安隐至彼。便作是念：'今我此筏，多有所益，乘此筏已，令我安隐，从彼岸来，度至此岸，我今宁可以著右肩或头戴去。'彼便以筏，著右肩上或头戴去。于意云何？彼作如是竟，能为筏有所益耶？"

时诸比丘答曰："不也。"世尊告曰："彼人云何为筏所作能有益耶？彼人作是念：'今我此筏，多有所益，乘此筏已，令我安隐，从彼岸来，度至此岸。我今宁可更以此筏还著水中，或著岸边而舍去耶？'彼人便以此筏还著水中，或著岸边舍之而去。于意云何？彼作如是，为筏所作能有益耶？"

时诸比丘答曰："益也。"世尊告曰："如是。我为汝等长夜说筏喻法，欲令弃舍，不欲令受。若汝等知我长夜说筏喻法者，当以舍是法，况非法耶？"[3]（《中阿含经》卷五十四《大品阿梨吒经》）

【注释】

[1]《中阿含经》,六十卷,东晋隆安二年(398)罽宾沙门僧伽提婆共僧伽罗叉译。此经是北方佛教所传《四阿含经》(即《长阿含》《中阿含》《杂阿含》《增一阿含》)中之一。因为它所汇集各经,不长不短,事处适中,所以叫《中阿含经》,为中国所传小乘佛教的代表性经典之一。

[2]瞿昙僧伽提婆:意译为众天。罽宾国人,与慧远、竺佛念等共译多种诸论。

[3]此经以船筏为喻,说明佛法即度脱众生由生死此岸至涅槃彼岸的船筏,到达彼岸后,就要将船筏(佛法)舍弃,否则便成为"法执",仍然未能超脱生死轮回。大乘经典《金刚经》谓:"汝等比丘,知我说法,如筏喻者,法尚应舍,何况非法?"与此经意同。可见小乘、大乘佛教在破除"我执"和"法执"两方面,是有着共同的主张的。

《增壹阿含经》[1]（节选）

[晋]瞿昙僧伽提婆 译

（一）

闻如是：

一时，佛在舍卫国祇树给孤独园。

尔时，世尊告诸比丘：“今有四人出现于世。云何为四？或有人先苦而后乐；或有人先乐而后苦；或有人先苦而后苦；或有人先乐而后乐。

“云何人先苦而后乐？或有一人生卑贱家，或杀人种、或工师种、或邪道家生，及余贫匮之家，衣食不充，彼人便生彼家。然复彼人无有邪见，彼便有此见：有施、有受者，有今世、有后世，有沙门、婆罗门，有父、有母，世有阿罗汉等受教者，亦有善恶果报。若彼有极富之家，以知昔日施德之报，不放逸报。彼若复见无衣食家者，知此人等不作施德，恒值贫贱。我今复值贫贱，无有衣食，皆由曩日不造福故，诳惑世人，行放逸法，缘此恶行之报，今值贫贱，衣食不充。若复见沙门、婆罗门修善法者，便向忏悔，改往所作；若复所有之遗余，与人等分。彼身坏命终，生善处；若生人中，多财饶宝，无所乏短。是谓此人先苦而后乐。”

“何等人先乐而后苦？于是，或有一人生豪族家，或刹利种、或长者种、或大姓家，及诸富贵之家，衣食充足，便生彼家。然彼人恒怀邪见，与边见共相应，彼便有此见：无施、无受者，亦无今世、后世之报，亦无父母，世无阿罗汉，亦无有得证者，亦复无有善恶之报。彼人有此邪见，若复见有富贵之家，而作是念：'此人久有此财宝耳。'男者久是男，女者久是女，畜生者久是畜生。不好布施，不持戒律。若彼见沙门、婆罗门奉持戒者，起嗔恚心：'此人虚伪，何处当有福报之应？'彼人身坏命终之后，生地狱中；若得作人，在贫穷家生，无有衣食，身体裸露，衣食不充。是谓此人先乐而后苦。"

"何等人先苦而后苦？于是，有人生贫贱家，或杀人种、或工师种，及诸下劣之家，无有衣食，而此人生彼家。然复彼人身抱邪见，与边见共相应，彼人便有此见：无施、无有受者，亦无今世、后世善恶之报，亦无父母，世无阿罗汉。不好布施，不奉持戒。若复见沙门、婆罗门，即兴嗔恚向贤圣人；彼人见贫者，言久来有是；见富者，言久来有是；见父者，昔者是父，见母者，昔者是母。彼若身坏命终，生地狱中；若生人中，极为贫贱，衣食不充，是谓此人先苦而后苦。"

"彼云何人先乐而后乐？彼或有一人生富贵家，或刹利种、或梵志种、或生国王种、或长者种生，及诸饶财多宝家生，所生之处无有乏短，彼人便生此家。然后彼人有正见，无有邪见，彼便有此见：有施、有受者，有今世、后世，世有沙门、婆罗门，亦有善恶之报，有父、有母，世有阿罗汉。彼人若复见富贵之家饶财多宝者，便作是念：'此人昔日布施之所致。'若复见贫贱之家，'此人昔者，皆由不布施故。故我今可随时布施，莫后更生贫贱之家，然常好喜施惠于人。'彼人若见沙门、道士者，随时问讯[2]可否之宜，供给衣被、饮食、床卧具、病瘦医药，尽惠施之。若复命终之后，生善处天上；若人中，生富贵之家，饶财多宝,是谓此人先乐而后乐。"

是时,有一比丘白世尊曰:"我观今世众生先苦而后乐,或有众生于今世先乐而后苦,或有众生于今世先苦而后苦,或有众生先乐而后乐。"

尔时,世尊告彼比丘:"有此因缘,使众生之类先苦而后乐,亦复有此众生先乐而后苦,亦复有此众生先苦而后苦,亦复有众生先乐而后乐。"

比丘白佛:"复以何因缘先乐而后苦?复以何因缘先苦而后乐?复以何因缘先苦而后苦?复以何因缘先乐而后乐?"

世尊告曰:"比丘当知,若人寿百岁,正可十耳。若使寿终冬、夏、春、秋。若复,比丘!百岁之中作诸功德,百岁之中造诸恶业,作诸邪见,彼于异时,或冬受乐,夏受苦。若百岁之中,功德具足,未曾有短;若复在中百岁之内,在诸邪见,造不善行,先受其罪,后受其福。若复少时作福,长时作罪;后生之时少时受福,长时受罪。若复少时作罪,长复作罪,彼人后生之时先苦而后苦。若复于少时作诸功德,分檀布施,彼于后生先乐而后乐。是谓,比丘!以此因缘先苦而后乐,亦由此因缘先乐而后苦,亦由此因缘先苦而后苦,亦由此因缘先乐而后乐。"

比丘白佛言:"唯愿,世尊!若有众生欲先乐而后乐,当行布施,求此先乐而后乐。"

世尊告曰:"如是,比丘!如汝所言,若有众生欲成涅槃及阿罗汉道乃至佛道,当于中行布施,作诸功德。如是,诸比丘!当作是学。"

尔时,诸比丘闻佛所说,欢喜奉行。

（二）

闻如是：

一时，佛在舍卫国祇树给孤独园。

尔时，世尊告诸比丘："有四人出现于世。云何为四？或有人身乐心不乐；或有人心乐身不乐；或有人心亦不乐身亦不乐；或有人身亦乐心亦乐。

"彼何等人身乐心不乐？于是，作福凡夫之人，于四事供养衣被、饮食、床卧具、病瘦医药，无所短乏，但不免饿鬼、畜生、地狱道，亦复不免恶趣中。是谓此人身乐心不乐。"

"彼何等人心乐身不乐？所谓阿罗汉不作功德，于是四事供养之中，不能自办，终不能得，但免地狱、饿鬼、畜生之道，犹如罗汉唯喻比丘。是谓此人心乐身不乐。"

"彼何等人身亦不乐心亦不乐？所谓凡夫之人不作功德，不能得四事供养衣被、饮食、床卧具、病瘦医药，恒不免地狱、饿鬼、畜生道。是谓此人身亦不乐心亦不乐。"

"彼何等人身亦乐心亦乐？所谓作功德阿罗汉，四事供养无所短乏，衣被、饮食、床卧具、病瘦医药，复免地狱、饿鬼、畜生道。所谓尸波罗比丘[3]是。是谓，比丘！世间有此四人。是故，比丘！当求方便，当如尸波罗比丘。如是，诸比丘！当作是学。"

尔时，诸比丘闻佛所说，欢喜奉行。

（九）

闻如是：

一时，佛在舍卫国祇树给孤独园。

尔时，世尊告诸比丘："今有四大河水从阿耨达[4]泉出。云何为四？所谓恒伽、新头、婆叉、私陀。彼恒伽水牛头口出向东流，新头南流师子口出，私陀西流象口中出，婆叉北流从马口中出。是时，四大河水绕阿耨达泉已，恒伽入东海，新头入南海，婆叉入西海，私陀入北海。

"尔时，四大河入海已，无复本名字，但名为海。此亦如是，有四姓，云何为四？刹利、婆罗门、长者、居士种，于如来所，剃除须发，著三法衣，出家学道，无复本姓，但言沙门释迦子。所以然者，如来众者，其犹大海，四谛其如四大河，除去结使，入于无畏涅槃城。"

"是故，诸比丘！诸有四姓，剃除须发，以信坚固，出家学道者，彼当灭本名字，自称释迦弟子。所以然者，我今正是释迦子，从释种中出家学道。比丘当知，欲论生子之义者，当名沙门释种子是。所以者何？生皆由我生，从法起，从法成。是故，比丘！当求方便，得作释种子。如是，诸比丘！当作是学。"

尔时，诸比丘闻佛所说，欢喜奉行。(《苦乐品第二十九》)

【注释】

[1]《增壹阿含经》：四阿含之一，五十一卷，东晋瞿昙僧伽提婆译，又作《增一阿含经》，收于《大正藏》第二册。因本经系依法数之次第，自一法顺次增至第十一法而分类辑成，故称"增一"。本经已带有浓厚的大乘思想色彩，应是四阿含中成立最晚者。本书节选其《苦乐品》中的三小节，分别从先后、身心等方面阐述不同的人对于苦乐的不同感受，说明世间各种苦乐现象形成的因果。第九小节则以四大河水入海，皆名为海水的比喻，说明应该消除种姓的差别，不同种姓者皆是佛子的道

理,体现了佛教众生平等的思想。东晋僧人道安即根据此经,立出家僧尼皆从释姓之法,对后世佛教僧团影响巨大。

[2]问讯:佛门敬礼法之一。即向师长、尊上合掌曲躬而请问其起居安否。

[3]尸波罗比丘:即坚守尸波罗蜜(持戒)的比丘。大乘佛教谓有六种波罗蜜:(1)布施波罗蜜,又作檀那波罗蜜、檀波罗蜜,谓全然施惠。(2)持戒波罗蜜,又作尸罗波罗蜜,谓全然持守教团之戒律。(3)忍辱波罗蜜,又作羼提波罗蜜,谓全然忍耐之意。(4)精进波罗蜜,又作毗梨耶波罗蜜,谓全然努力之意。(5)禅定波罗蜜,又作禅那波罗蜜,谓心全然处于一境。(6)智慧波罗蜜,又作般若波罗蜜、慧波罗蜜、明度、明度无极,谓圆满之智慧。

[4]阿耨达:即昆仑山。《史记·司马相如列传》:"经营炎火而浮弱水兮。"张守节《正义》引唐李泰《括地志》谓:"阿耨达山,一名昆仑山,其山为天柱,在雍州西南一万五千三百七十里。"

《太子须大挐经》[1]

[西秦]圣坚[2] 译

闻如是：

一时佛在舍卫国祇洹阿难邠坻阿蓝。时与无央数比丘、比丘尼、优婆塞、优婆夷俱，在四部弟子中央坐。时佛笑，口中五色光出。阿难从坐起，整衣服，叉手长跪，白佛言："我侍佛以来二十余年，未尝见佛笑如今日也。今佛为念过去、当来、现在佛乎？独当有意？愿欲闻之。"

佛语阿难："我亦不念去来今佛也，我自念过去无央数阿僧祇劫时行檀波罗蜜事耳。"

阿难问佛言："何等为行檀波罗蜜事？"

佛言："往昔过去不可计劫时，有大国名为叶波，其王号湿波。以正法治国，不枉人民。王有四千大臣，主六十小国、八百聚落。有大白象五百头。王有二万夫人，了无有子。王自祷祠诸神及山川，夫人便觉有娠。王自供养夫人床卧饮食，皆令细软。至满十月便生太子。宫中二万夫人闻太子生，悉皆欢喜踊跃，乳湩自然而出。以是之故，便字太子为须大挐。有四乳母养护太子：中有乳太子者，中有抱太子者，中有洗浴太子者，中有将太子行游戏者。太子至年十六，书计射御及诸礼乐皆悉备足。太子承事父母如事天神，王为太子别立宫室。"

"太子少小以来常好布施，天下人民及飞鸟走兽，愿令众生常得其福。愚人悭贪不肯布施，愚惑自欺无益于己，智者居世则知布施为德。布施之士皆为过去当来今现在佛辟支佛、阿罗汉所共称誉。

"太子年遂长，大王为纳妃。妃名曼坻，国王女也。端正无双，以妙琉璃金银杂宝璎珞其身。太子有一男一女，太子自思惟：'欲作檀波罗蜜事。'太子白王：'欲出游观。'王即听之。太子便出城。天王释下化作贫穷聋盲喑哑人，悉在道边。太子见之，即回车还宫，大愁忧不乐。王问太子：'出游来还，何故不乐？'太子白言：'我适出游，见诸贫穷聋盲喑哑人，是故愁忧耳。我欲从王乞求一愿，不审大王当见听不？'王答太子：'欲愿何等，在汝所索耳。不违汝意。'太子言：'我愿欲得大王中藏所有珍宝，置四城门外及著市中，以用布施，在所求索不逆人意。'王语太子：'恣汝所欲，不违汝也。'太子即使傍臣辇取珍宝，著四城门外及著市中，以用布施，恣人所欲不逆人意。八方上下莫不闻知太子功德者，四远人民有从百里来者、千里来者、万里外来者。人欲得食者饲之，欲得衣者与之，欲得金银珍宝者恣意与之，在所欲得不逆其意。"

"时有敌国怨家，闻太子好喜布施，在所求索不逆人意。即会诸臣及众道士共集议言：'叶波国王有行莲华上白象，名须檀延，多力健斗。每与诸国共相攻伐，此象常胜。谁能往乞者？'诸臣咸言：'无能往得者。'中有道士八人，即白王言：'我能往乞之。当给我资粮。'王即给之。王便语言：'能得象者，我重赏汝。'"

"道士八人即行持杖，远涉山川诣叶波国。至太子宫门，俱拄杖，翘一脚向门而立。时守门者入白太子：'外有道士，悉皆拄杖，俱翘一脚住。自说言：故从远来，欲有所乞。'太子闻之甚大欢喜，便出迎之，前为作礼，如子见父，因相劳问：'何所从来？行道得无勤苦？欲何所求索，用一脚为翘乎？'道士八人言：'我闻太子好喜布施，在所求索不逆人意。太子名字流闻八方，上彻苍天、下至黄泉，布施之德功不可量，远近歌颂莫不闻知。人说太子实不虚也。今为天人之子，天人所言终不欺也。如今太子审能布施不逆人意者，欲从太子乞丐行莲花上白象。'太子即将至象厩中，令取一象去。道士八人言：'我正欲得行莲华上白象，名须檀延者。'太子言：'此大白象是我父王之所爱重，王视白象如视我无异。不可与卿。若与卿者，我即失父王意，或能坐此象逐我令出国。'太子即自惟念：'我前有要愿，在所布施不逆人意。今不与者，违我本心。若不以此象施者，何从当得无上平等度意。听当与之，以成我无上平等度意。'太子言：'诺！大善！愿以相与。'即敕左右。被象金鞍疾牵来出。太子左手持水澡道士手，右手牵象以授与之。八人得象即咒愿太子，咒愿毕已，累骑白象欢喜而去。

"太子语道士言：'卿速疾去。王若知者，便能追逐夺卿。'时道士八人即便疾去。"

"国中诸臣闻太子以白象布施怨家，皆大惊怖，从床而堕愁忧不乐，念言：'国家但怙此象以却敌国耳。'诸臣皆往白王：'太子以国中却敌之宝象，布施怨家。'王闻愕然。臣复白王：'今王所以得天下者，有此象故。此象胜于六十象力，而太子用与怨家，恐将失国。当如之何？太子如是自恣布施，中藏日空。臣恐举国及其妻子皆以与人。'王闻是语。益大不乐。"

"王呼一臣而问之曰：'太子审持白象与怨家不？'臣答王言：'实以与之。'王闻臣言乃更大惊，从床而堕闷不知人。以冷水洒之，良久乃稣。二万夫人亦皆不乐。王与诸臣共议言：'当奈太子何？'中有一臣言：'以脚入象厩中者，当截其脚；手牵象者，当截其手；眼视象者，当挑其眼。'或言：'当断其头。'诸臣共议各言如是。王闻此语甚大愁忧，语诸臣言：'儿大好道喜布施人，奈何禁止拘闭之也。'中有一大臣，嫌诸臣议不当尔也。王唯有是一子耳，甚爱重之。云何欲刑残，乃生是心耶？大臣白王言：'臣亦不敢使大王禁止拘闭太子也，但逐令出国，置野田山中十二年许，当使惭愧。'"

"王即随此大臣所言，即遣使者召问太子：'汝持白象与怨家不？'太子白王：'实以与之。'王问太子：'汝今何故，持我白象以与怨家，而不白我？'太子白言：'前已与王自有要令，诸所布施不逆人意，是以不白王耳。'王言：'前所要者，自谓珍宝。白象何预？'太子报言：'此皆是王之所有物，何得独不在中耶？'王语太子：'速出国去，徙汝著檀特山中十二年。'太子白王言：'不敢违戾大王教令，愿复布施七日展我微心，乃出国去。'王言：'正坐汝布施太剧，空我国藏，失我却敌之宝，故逐汝耳。不得复住布施七日，速疾出去，不听汝也。'太子白王言：'不敢违戾大王教令。今我自有私财，愿得布施，尽之乃去。不敢复烦国家财宝。'二万夫人共诣王所，请留太子布施七日乃令出国。王即听之。"

"太子便使左右普告四远，其有欲得财物者，悉诣宫门随所欲得。人有财物不可常保，会当坏散。四方人民皆来诣门，太子为设饭食，施与珍宝恣意而去。七日财尽，贫者得富，万民欢乐。"

"太子语其妻：'疾起，听我言。大王今逐我著檀特山中十二年。'妃闻太子言，愕然惊起，白太子：'有何过咎而王乃当至是乎？'太子报言：'用我布施太剧，空虚国藏，以健白象施与怨家。王及傍臣用是之故，恚共逐我耳。'曼坻言：'使国丰溢，愿令大王及诸傍臣吏民大小富乐无极，但当努力共于山中勤求道耳。'太子言：'人在山中恐怖之处，致难为心。虎狼猛兽大可畏也。汝惯惵乐，何能忍是？汝在宫中，衣即细软止则帏帐，饮食甘美恣口所欲。今在山中卧则草蓐，食则果蓏。汝何能乐是？又多风雨雷电雾露，使人毛竖。寒则大寒、热则大热。树木之间不可依止，加地有蒺藜砾石毒虫，汝何能忍是？'曼坻言：'我当用是细软帏帐甘美饮食为，而与太子别乎？我终不能相远离也。会当与太子相随去耳。王者以幡为帜，火者以烟为帜，妇人者以夫为帜，我但怙太子耳。太子者我之所天。太子在国时，布施四远人，我常与太子共之。今太子远去，若有人来乞者，我当应之云何？我闻人来求太子时，我当感死何疑。'太子言：'我好布施不逆人意，有人从我乞儿索女者，我则不能不与之。汝若不顺我言，则乱我善心，可不须去。'曼坻言：'听随太子在所布施莫懈，世间布施未有如太子者也。'太子言：'汝能尔者，甚大善。'"

"太子与妃及其二子，共至母所辞别欲去，白其母言：'愿数谏大王，以正法治国，莫邪枉人民。'母闻太子辞别如是，即感懑悲哀。语傍人言：'我身如石、心如刚铁，奉事大王未尝有过。今唯有一子而舍我去，我心何能不破裂而死耶？儿在腹中，如树木叶日夜长大，养子适大而舍我去。诸夫人皆当快，我王不复敬我。天不违我愿者，使我子速来还国耳。'太子与妃及其二子，俱为父母作礼，于是而去。"

"二万夫人以真珠各一贯以与太子，四千大臣作七宝华奉上太子。太子从中宫北出城门，悉以七宝珠华布施四远人民，即时皆尽。吏民大小数千万人，共送太子者，皆窃议言：'太子善人，是国之神。父母何能逐是珍宝之子乎？'观者皆共惜之。太子于城外树下坐，辞谢来送者，可从此而还。吏民大小垂泪而归。"

"太子与妃二子共载自御而去，前行已远止息树下。有婆罗门来乞马，太子即卸车，以马与之。以二子著车上，妃于后推，自入辕中步挽而去。适复前行，复逢婆罗门来乞车。太子即以车与之。适复前行，复逢婆罗门来乞。太子言：'我不与卿有所爱惜也；我财物皆尽。'婆罗门言：'无财物者，与我身上衣。'太子即解宝衣与之，更著一故衣。适复前行，复逢婆罗门来乞。太子以妃衣服与之。转复前行，复逢婆罗门来乞。太子以两儿衣服与之。太子布施车马钱财衣被了尽，初无悔心大如毛发。太子自负其男，妃负其女，步行而去。太子与妃及其二子，和颜欢喜相随入山。"

"檀特山去叶波国六千余里。去国遂远，行在空泽中大苦饥渴。忉利天王释即于圹泽中，化作城郭市里街巷、伎乐衣服饮食。城中有人出迎太子，便可于此留止饮食以相娱乐。妃语太子：'行道甚极，可暇止此不？'太子言：'父王徙我著檀特山中，于此留者违父王命，非孝子也。'遂便出城，顾视其城忽然不见，转复前行到檀特山。山下有大水深不可度，妃语太子：'且当住此，须水减乃渡。'太子言：'父王徙我著檀特山中，于此住者违父王教，非孝子也。'太子即入慈心三昧，水中便有大山以堰断水，太子即与妃褰裳而渡。渡已，太子即心念言：'便尔去者，水当浇灌杀诸人民蜎飞蠕动。'太子即还顾谓水言：'复流如故。若有欲来至我所者，皆当令得渡。'太子适语已，水即复流如故。"

"前到檀特山中，太子见山嶔崟嵯峨，树木繁茂百鸟悲鸣，流泉清池美水甘果，凫雁鸡鹄、翡翠鸳鸯异类甚众。太子语妃：'观是山中树木参天无折伤者，饮此美泉、啖是甘果，而此山中亦有学道者。'太子入山，山中禽兽皆大欢喜，来迎太子。"

"山上有一道人名阿州陀，年五百岁，有绝妙之德。太子作礼却住白言：'今在山中何所有好甘果泉水可止处耶？'阿州陀言：'是山中者普是福地，所在可止耳。'道人即言：'今此山中清净之处，卿云何将妻子来而欲学道乎？'太子未答，曼坁即问道人言：'在此学道为几何岁？'道人答言：'止此山中四五百岁。'曼坁谓言：'计有吾我人者，何时当得道耶？虽久在山中，亦如树木无异。不计吾我人者乃可得道。'道人言：'我实不知此事也。'"

"太子即问道人言：'汝颇闻叶波国王太子须大挐不？'道人言：'我数闻之，但未曾见耳。'太子言：'我正是太子须大挐也。'道人问太子：'所求何等？'太子答言：'欲求摩诃衍道。'道人言：'太子功德乃尔，今得摩诃衍道不久也。太子得无上正真道时，我当作第一神足弟子。'道人即指语太子所止处，太子则法道人结头编发，以泉水果蓏为饮食。即取柴薪作小草屋，并为曼坁及二小儿各作一草屋，凡作三草屋。男名耶利年七岁，著草衣随父出入。女名罽挐延年六岁，著鹿皮衣随母出入。山中禽兽悉皆欢喜依附太子。"

"太子适住一宿，山中空池皆出泉水，枯木诸树皆生华叶，诸毒虫兽皆为消灭,相食啖者皆自食草,诸杂果树自然茂盛,百鸟嘤嘤相和悲鸣。曼坻主行采果以饲太子及其男女。二儿亦复舍父母行,在于水边与禽兽戏,或有宿时。时男耶利骑师子上戏,师子跳踉,耶利堕地伤面血出。猕猴便取树叶拭其面血,将至水边以水洗之。太子在坐亦遥见之,曰:'禽兽乃有尔心。'"

"时鸠留国有一贫穷婆罗门,年四十乃取妇,妇大端正。婆罗门有十二丑:身体黑如漆,面上三顠,鼻正匾,两目复青,面皱唇哆,语言謇吃,大腹凸臗,脚复繚戾,头复秃,状类似鬼。其妇恶见,咒欲令死。妇行汲水,逢诸年少嗤说其婿形调笑之,问言:'汝绝端正,何能为是人作妇耶?'妇语年少言:'是老翁头白如霜著树,朝暮欲令其死;但无那其不肯死何?'妇便持水啼泣,且归语其婿言:'我适取水,年少曹辈共形调我,当为我索奴婢。我有奴婢者,便不复自行汲水,人亦不复笑我。'婿言:'我极贫穷,当于何所得奴婢耶?'妇言:'若不为我索奴婢者,我便当去不复共居。'妇言:'我常闻太子须大拏坐布施太剧故,父王徙著檀特山中。有一男一女,可往乞之。'婿言:'檀特山去此六千余里,初不山行,当于何所而求之乎?'妇言:'不为我求奴婢者,我当自到死耳。'婿言:'宁杀我身,不欲令汝死也。'婿言:'汝欲令我行者,当给我资粮。'妇言:'便去,无有资粮。'婆罗门自办资粮涉道而去。"

"于是婆罗门径诣叶波国,至王宫门外,问守门者:'太子须大拏今为所在?'时守门者即入白王:'外有婆罗门来问求太子。'王闻人求太子,心感且恚言:'但坐是辈故,逐我太子。今此人复来耶?'王便自说喻言:'如火自炽,复益其薪。今我愁忧譬如火炽，人来问太子如益其薪。'婆罗门言：'我从远方来，闻太子名，上彻苍天下至黄泉，太子布施不逆人意，故从远来欲有所得。'王言：'太子独处深山，甚大贫穷，当何以与卿耶？'婆罗门言：'太子虽无所有，贵欲相见耳。'王即使人指示道径。"

"婆罗门即行诣檀特山，至大水边，但念太子即便得渡。时婆罗门遂入山中，逢一猎师，问言：'汝在山中，颇见太子须大拏不？'猎者素知太子坐布施诸婆罗门故徙在山中，猎者便取婆罗门缚著树，以捶鞭之，身体悉破。骂言：'我欲射汝腹、啖汝肉，用问太子为？'婆罗门自念：'今当为子所杀耶？当作一诡语耳。'便言：'汝不当问我耶？'猎者问言：'汝欲何说？'婆罗门言：'父王思见太子故，遣我来追呼太子令还国耳。'猎者便即解放，逆辞谢之：'实不相知。'即指示其处。婆罗门即到太子所。"

"太子遥见婆罗门来，甚大欢喜迎为作礼，因相劳问：'何所从来？行道得无疲极？何所索乎？'婆罗门言：'我从远方来，举身皆痛又大饥渴。'太子即请婆罗门入坐，出果蓏水浆著其前。婆罗门饮水食果竟，便语太子言：'我是鸠留国人也，久闻太子好喜布施名闻十方。我大贫穷，欲从太子有所乞丐。'太子言：'我不与卿有所爱也。我所有尽赐，无以相与。'婆罗门言：'若无物者，与我两儿以为给使，可养老者。'如是至三。太子言：'卿故远来，欲得我男女，奈何不相与？'时两儿行戏，太子呼两儿言：'婆罗门远来乞汝，我已许之。汝便随去。'两儿走入父腋下，泪出且言：'我数见婆罗门，未尝见是辈。此非婆罗门，为是鬼耳。今我母行采果未还，而父持我与鬼作食，定死无疑。今我母来索我不得，当如牸牛觅其犊子，便啼哭号泣愁忧。'太子言：'我已许之。何从得止？是婆罗门耳，非是鬼也，终不啖汝。汝便逐去。'婆罗门言：'我欲发去，恐其母来便不复得去。卿持善心与我，母来即败卿善意。'太子报言：'我从生已来，布施未尝有悔也。'"

"太子即以水澡婆罗门手，牵两儿授与之，地为震动。两儿不肯随去，还至父前长跪，谓父言：'我宿命有何罪，今复遭值此苦，乃以国王种为人作奴婢？向父悔过，从是因缘罪灭福生，世世莫复值是。'太子语儿言：'天下恩爱皆当别离，一切无常何可保守。我得无上平等道时自当度汝。'两儿语父言：'为我谢母，今便永绝恨不面别，自我宿罪当遭此苦；念母失我忧苦愁劳。'婆罗门言：'我老且羸，小儿各当舍我走至其母所，我奈何得之？当缚付我耳。'太子即反持两儿手，使婆罗门自缚之，系令相连总持绳头。两儿不肯随去，以捶鞭之，血出流地。太子见之泪下堕地，地为之沸。太子与诸禽兽皆送两儿，不见乃还。诸禽兽皆随太子，还至儿戏处，呼哭宛转而自扑地。"

"婆罗门径将两儿去。儿于道中以绳绕树不肯随去，冀其母来。婆罗门以捶鞭之。两儿言：'莫复挝我，我自去耳。'仰天呼言：'山神树神一哀念我。今当远去为人作奴婢，不见母别。可语我母弃果疾来与我相见。'母于山中，左足下痒、右目复瞤、两乳汁出。母便自思惟：'未尝有是怪。当用此果为？宜归视我了，得无有他故。'便弃果而归。"

"时第二忉利天王释知太子以儿与人，恐妃败其善心，便化作师子当道而蹲。妃语师子：'卿是兽中王，我亦是人中王子，共在山中，愿小相避使得过去。我有二子皆尚幼小，朝来无所食，但望待我耳。'师子知婆罗门去远，乃起避道，令妃得过。

妃还，见太子独坐，不见两儿。自至其草屋中索之不见，复至儿屋中觅之不见，至儿常所戏水边亦复不见，但见与所戏禽兽獐鹿师子猕猴，皆在曼坻前自扑号呼，所戏池水为之空竭。曼坻便还至太子所，问太子：'两儿为何所在？'太子不应。曼坻复言：'儿遥见我持果走来，趣我躄地复起跳踉，呼言："阿母来归见我。"坐时皆在左右，见我身上有尘土即为我拂去之。今亦不见儿，儿亦不来附我，为持与谁乎？今不见之，我心摧裂。早语我处，莫令我发狂。'如是至三，太子不应。曼坻益更愁毒言：'不见两儿尚复可耳，太子不应，益令我迷荒。'太子语言：'鸠留国有一婆罗门来，从我乞两儿，便以与之。'妃闻太子语，便感激躄地如太山崩，宛转啼哭而不可止。太子言：'且止。汝识过去提和竭罗佛时本要不耶？我尔时作婆罗门子，字鞞多卫。汝作婆罗门女，字须陀罗。汝持华七茎，我持银钱五百，从汝买华欲以散佛，汝以二茎华寄我上佛，而求愿言："愿我后生常为卿妻，好丑不离。"我尔时与汝要言："欲为我妻者当随我意，在所布施不逆人心，唯不以父母施耳。其余所施者，皆随我意。"汝尔时答我言可。今以儿布施，而反乱我善心耶？'妃闻太子言，心意开解便识宿命，听随太子布施疾得心所欲。"

"天王释见太子布施如此，即下试太子，知欲何求？化作婆罗门亦有十二丑，到太子前而自说言：'常闻太子好喜布施，在所求索不逆人意，故来到此，愿乞我妃。'太子言：'善！妃可得耳。'妃言：'今以我与人，谁当供养太子者也？'太子言：'今不以汝施者，何从得成无上平等度意？'太子以水澡婆罗门手，牵妃与之。释知太子了无悔心，诸天赞善、天地大动。时婆罗门便将妃去，行至七步，寻将妃还以寄太子：'莫复与人也。'太子言：'何为不取？岂有恶乎？诸人妇中，是妇为善。现国王子，其父唯有是一女耳。是妇用我故，自投汤火，饮食粗恶而常不避，所为精勤，面貌端正。卿今取去，我心乃喜。'"

"婆罗门语太子言：'我非婆罗门，是天王释，故来相试耳。欲愿何等？'即复释身，端正殊妙。妃即作礼，从索三愿：'一者、令婆罗门将我两儿还卖本国中。二者、令我两儿不苦饥渴。三者、令我及太子早得还国。'天王释言：'当如所愿。'太子言：'愿令众生皆得度脱，无复生老病死之苦。'天王释言：'大哉所愿，巍巍无上。若欲生天作日月中王，世间帝主注延寿命，我能相与如卿所说。三界特尊，非我所及也。'太子言：'今且愿我令得大富，常好布施又胜于前；愿令父王及诸傍臣皆思见我。'天王释言：'必如所愿。'须臾之间忽然不见。"

"鸠留国婆罗门得儿归家，妇逆骂之：'何忍持此面来还？此儿国王种，而无慈仁心，挝打令生疮身体皆脓血，速将炫卖之，更求可使者。'婿随妇言即行卖之。天王释主行坏其市井言：'此儿贵，无能买者。'儿适饥渴，天以自然气令儿得饱满。天王化其意，乃至叶波国。国中诸臣人民识是太子儿、大王之孙，举国大小莫不悲哀。诸臣即问：'所从得此儿？'婆罗门言：'我自乞得，用问我为？'诸臣言：'卿来入我国，我亦应问卿。'大臣人民便欲夺取婆罗门儿，中有长者而谏之曰：'斯乃太子布施之心以至于此，而今夺之，不当固违太子本意耶？不如白王。王若知者，自当赎之。'于是乃止。"

"诸臣白王言：'大王两孙，今为婆罗门之所炫卖。'王闻之大惊，即呼婆罗门，使将儿入宫。王与夫人及诸傍臣后宫婇女，遥见两儿莫不哽咽。王问婆罗门：'何缘得此儿？'婆罗门答言：

'我从太子乞得耳。'王呼两儿而欲抱之,儿皆涕泣不肯就抱。王问婆罗门:'卖儿索几钱?'婆罗门未及得对,男儿便言:'男直银钱一千,特牛一百头;女直金钱二千,牸牛二百头。'王言:'男儿人之所珍,何故男贱而女贵耶?'儿言:'后宫婇女与王无亲,或出微贱或但婢使,王意所幸便得尊贵,被服珍宝饮食百味。王独有一子而逐之于深山,日日自与宫中婇女共相娱乐,了无念子之意,是以明知男贱而女贵也。'王闻是语,感慨悲哀涕泣交进言:'我负汝。汝何故不就我抱?恚我乎?畏婆罗门耶?'儿言:'不敢怨大王,亦不畏婆罗门。古是大王孙,今为人奴婢。何有人奴婢而就国王抱?是故不敢耳。'王闻儿语,倍增悲怆,即如其言雇婆罗门直。更呼两儿抱,两儿便就。"

"王抱两孙,摩扪其身,问两儿言:'汝父在山中,何所饮食?被服何等?'两儿答言:'食果蓏菜茹,被褐为服饰。百鸟相娱乐,亦无愁忧心。'王即遣婆罗门去。男儿白王:'此婆罗门大苦饥渴,愿赐一食。'王言:'汝不忿恚之耶?何故复为索食耶?'儿言:'我父好道,无复财物可用布施,以我乞之,则是我大家。我尚未得为其使令,以副我父道意。今何忍见其饥渴而无慈仁心?我父乃以儿施婆罗门,大王岂惜一食耶?'王即赐婆罗门食。婆罗门食竟,欢喜而还。"

"王遣使者速迎太子还。使者受教往迎太子,碍水不得渡,但念太子所即得过去。以王命而告太子:'宜速还国。王思见太子。'太子答言:'王徙我著山中,十二年为期。尚有一年在,年满自当归。'使者还,白王如是。王更作手书以与太子:'汝是智慧之人,去亦当忍、来亦当忍。云何恚不还?须汝乃饮食耳。'使者复赍书往,太子得书,头面著地作礼,却绕七匝便发视之。山中诸禽兽闻太子当还，跳踉宛转自扑而号呼，泉水为之空竭，禽兽为不乳，百鸟皆悲鸣，用失太子故。太子即著衣与妃俱还。"

"敌国怨家闻太子当还，即遣使者，装被白象金银鞍勒，以金钵盛银粟、银钵盛金粟，逆于道中以还太子。辞谢悔过言：'前乞白象，愚痴故耳。坐我之故，远徙太子。今闻来还，内怀欢喜。今以白象奉还太子，及上金银之粟，愿垂纳受以除罪咎。'太子答言：'譬如有人设百味食特有所上，其人食已呕吐于地，岂复香洁可更食不？今我布施譬亦若吐，终不还受。速乘象还去，谢汝国王。苦屈使者，远相劳问。'于是使者即乘象还，白王如是。因此象故。敌国怨家化为慈仁。国王及众悉发无上平等度意。"

"父王乘象出迎太子，太子便前头面作礼，从王而归。国中人民莫不欢喜，散华烧香悬缯幡盖，香汁洒地以待太子。太子入宫即到母前，头面作礼而问起居。王以宝藏以付太子，恣意布施转胜于前，布施不休自致得佛。"

佛告阿难："我宿命时所行布施如是。太子须大拏者，我身是也；时父王者，今现我父阅头檀是；时母者，今摩耶是也；时妃者，今瞿夷是也。时山中道人阿州陀者，摩诃目揵连是；时天王释者，舍利弗是；时猎师者，阿难是也。时男儿耶利者，今现我子罗云是也；时女䍐拏延者，今现罗汉末利母是。时乞儿婆罗门者，今调达是；婆罗门妇者，栴遮摩那是。勤苦如是无央数劫，作善亦无央数劫。当持是经典为诸沙门一切说之，菩萨行檀波罗蜜，布施如是。"

【注释】

[1]《太子须大挐经》：此经叙述释尊于因位为太子修菩萨行时，为叶波国王子须大挐（又译作须达挐风），慈孝聪明，常行布施。凡有求其衣服、饮食、金银珍宝、车马、田宅者，太子无不施与。其后，更将二子施予婆罗门，以妃施予帝释所化之梵志而不悔。此经极力宣扬了大乘佛教的无我、布施、慈悲等精神，同时也可以看到本生故事情节上的丰富、曲折，描写上的细腻、生动，很多故事与后世的小说相比是毫不逊色的。表面上看，故事中的须大挐太子的所为似乎有些过分，甚至显得很愚笨。但是透过这样一个故事，是要说明菩萨视任何众生如同己身的伟大情怀，对于一个彻底体悟到"无我"的人而言，当他把所有的东西都布施出去以后，他并不是一无所有了，而是同时获得了全部。这个故事很能体现佛教独特的世界观、人生观，那种对精神富足的追求，那种以慈悲感化众人包括自己的敌人的精神。

[2]圣坚：东晋译经僧。西域人。久居凉州，通华、胡语文。《出三藏记集》卷二中并未列为译人，仅于昙无谶所译《方等王虚空藏经》之注有"别录云河南国乞佛时沙门释圣坚译出"之记载。又《历代三宝纪》卷九谓师译有《妇人遇辜经》等十四部二十一卷。其余事迹不详。

《金刚般若波罗蜜经》[1]（节选）

[后秦]鸠摩罗什[2] 译

如是我闻：一时，佛在舍卫国祇树给孤独园[3]，与大比丘众千二百五十人俱。尔时，世尊食时，著衣持钵，入舍卫大城乞食。于其城中，次第乞已，还至本处。饭食讫，收衣钵，洗足已，敷座而坐。

时，长老须菩提[4]在大众中即从座起，偏袒右肩，右膝著地，合掌恭敬而白佛言："希有！世尊！如来善护念诸菩萨，善付嘱诸菩萨。世尊！善男子、善女人，发阿耨多罗三藐三菩提心，应云何住？云何降伏其心？"

佛言："善哉，善哉！须菩提！如汝所说：'如来善护念诸菩萨，善付嘱诸菩萨。'汝今谛听，当为汝说。善男子、善女人，发阿耨多罗三藐三菩提心，应如是住，如是降伏其心。""唯然。世尊！愿乐欲闻。"

佛告须菩提："诸菩萨摩诃萨应如是降伏其心：'所有一切众生之类，若卵生、若胎生、若湿生、若化生，若有色、若无色，若有想、若无想、若非有想非无想[5]，我皆令入无余涅槃[6]而灭度之。'如是灭度无量无数无边众生，实无众生得灭度者。何以故？须菩提！若菩萨有我相、人相、众生相、寿者相[7]，即非菩萨。

"复次，须菩提！菩萨于法，应无所住，行于布施，所谓不住色布施，不住声香味触法布施。须菩提！菩萨应如是布施，不住于相。何以故？若菩萨不住相布施，其福德不可思量。""须菩提！于意云何？东方虚空可思量不？""不也，世尊！""须菩提！南西北方四维上下虚空可思量不？""不也，世尊！""须菩提！菩萨无住相布施，福德亦复如是不可思量。须菩提！菩萨但应如所教住。"[8]

"须菩提！于意云何？可以身相见如来不？""不也，世尊！不可以身相得见如来。何以故？如来所说身相，即非身相。"佛告须菩提："凡所有相，皆是虚妄。若见诸相非相，则见如来。"须菩提白佛言："世尊！颇有众生，得闻如是言说章句，生实信不？"佛告须菩提："莫作是说。如来灭后，后五百岁，有持戒修福者，于此章句能生信心，以此为实，当知是人不于一佛二佛三四五佛而种善根，已于无量千万佛所种诸善根，闻是章句，乃至一念生净信者，须菩提！如来悉知悉见，是诸众生得如是无量福德。何以故？是诸众生无复我相、人相、众生相、寿者相。无法相，亦无非法相。何以故？是诸众生若心取相，则为著我、人、众生、寿者。若取法相，即著我、人、众生、寿者。何以故？若取非法相，即著我、人、众生、寿者，是故不应取法，不应取非法。以是义故，如来常说：'汝等比丘，知我说法，如筏喻者，法尚应舍，何况非法。'须菩提！于意云何？如来得阿耨多罗三藐三菩提耶？如来有所说法耶？"须菩提言："如我解佛所说义，无有定法名阿耨多罗三藐三菩提，亦无有定法，如来可说。何以故？如来所说法，皆不可取、不可说、非法、非非法。所以者何？一切贤圣，皆以无为法而有差别。"[9]

……

尔时，须菩提闻说是经，深解义趣，涕泪悲泣，而白佛言："希有，世尊！佛说如是甚深经典，我从昔来所得慧眼，未曾得闻如是之经。世尊！若复有人得闻是经，信心清净，则生实相，当知是人，成就第一希有功德。世尊！是实相者，则是非相，是故如来说名实相。世尊！我今得闻如是经典，信解受持不足为难，若当来世，后五百岁，其有众生，得闻是经，信解受持，是人则为第一希有。何以故？此人无我相、人相、众生相、寿者相。所以者何？我相即是非相，人相、众生相、寿者相即是非相。何以故？离一切诸相，则名诸佛。"[10]

【注释】

[1]《金刚般若波罗蜜经》为大乘佛教流通最为广泛的经典之一，"金刚"为宝石名，具有坚、利、明三义，"般若"即智慧，含有实相、观照、文字三义。此经用金刚之利，无物不摧比喻般若纵横无尽，擘开尘世之迷妄，显现佛法之光明。"波罗蜜"为梵语音译，意为到达彼岸。《金刚经》之宗旨亦即乘般若智慧之舟，自迷界之生死此岸，抵达悟界之涅槃彼岸。中国佛教各宗派自古讲说此经者非常多，禅宗自五祖弘忍、六祖慧能以来更受重视。此经有多种异译本，比如北魏菩提流支的同名译本、唐代玄奘所译《能断金刚般若波罗蜜多经》等，但以鸠摩罗什的译本影响最大。

[2]鸠摩罗什(343~413)，又意译为童寿，简称罗什，中国古代最杰出的佛经翻译家之一，龟兹人，主要生活在十六国时期的后秦，为当时重要译经师、教育家。自佛教传入中国以来，汉译佛经日多，但所译多滞文格义，不与原本相应，罗什通达多种外国语言，所译经论内容卓拔，文体简洁晓畅，文字优美凝练，在中国佛经翻译史上具有重要地位。罗什一生致力弘通之

法门主要为般若系之大乘经典，以及龙树、提婆系之中观部论书之翻译。

[3]祇树给孤独园：印度佛教圣地之一，位于中印度憍萨罗国舍卫城之南，略称祇园或祇树、祇园精舍逝多林等。祇树乃只陀太子所有树林之略称，给孤独即舍卫城长者须达之异称，因长者夙怜孤独，好布施，故得此名。传说此园乃须达长者为佛陀及其教团所建之僧坊，精舍建于只陀太子之林苑，以二人共同成就此一功德，故称祇树给孤独园。佛陀曾多次在此说法，为佛教著名遗迹。

[4]须菩提：或译为"须浮帝""苏部底"等，意译为"善现""善见""空生"等。古印度拘萨罗国舍卫城长者鸠留之子，出家为释迦牟尼十大弟子之一，以"解空第一"著称，为《金刚经》的当机者，故此经中不断重复其名。

[5]以上自"若卵生"开始，指各种各类有情众生，这些众生皆出于六道轮回之中。

[6]无余涅槃：涅槃，意译为"灭度""寂灭"等，可以分为四种：(1)本来自性清净涅槃，又称自性清净涅槃、本来清净涅槃、性净涅槃，谓一切法之实性即为真如之理。(2)有余涅槃，谓断尽烦恼障所显现之真如之理。烦恼障虽灭，然尚余欲界五阴之身而为所依，故称有余涅槃。(3)无余依涅槃，略称无余涅槃。谓出离生死苦所显现之真理。即烦恼断尽，所余五阴之身亦灭，失去一切有为法之所依，自然归于灭尽，众苦永寂。(4)无住处涅槃，谓断所知障所显现之真理。即断智之障，则得生死、涅槃无差别之深智，于二者无有欣厌，不住生死，亦不住涅槃，唯常与大智大悲相辅，穷未来际，利乐有情，然虽起悲智二

用而体性恒寂。

[7]我相、人相、众生相、寿者相：我相，执着"我"为真实的个体存在；人相，执着我与彼的对立存在；众生相，执着个体组合成的阶级、种族等的存在；寿者相，执着我、人、众生等诸事物为真实不虚，持续不坏，可以传之长久。《金刚经》的宗旨即在于破除此四相，此为"降伏其心"的首务。

[8]以上一节举"六度"中的"布施"一法，说明在布施中如何去除"四相"，即在布施之时，能体达施者、受者、施物三者皆悉本空，摧破执著之相，称为三轮体空。(1)施空，能施之人体达我身本空，既知无我，则无希望福报之心，称为施空。(2)受空，既体达本无能施之人，亦无他人为受施者，故不起慢想，称为受空。(3)施物空，物即资财珍宝等物，能体达一切皆空，则虽有所施，亦视为空，故不起贪想，称为施物空。其他五度皆可做如是观。

[9]以上一节说明修学佛法要破除一切"相"，也没有一定的法、固定的法可以叫做无上正等正觉，佛陀的种种教法都是方便渡岸的船筏，在登上岸时必须舍弃。同时指出般若实相，是无法用语言来诠释的，既不能执着于实有菩提可得，也不能执着于没有菩提可得，要"法"与"非法""空""有"两边皆不执着，这才是真正的佛法。《金刚经》的这些论述充满辩证法的智慧，显示大乘佛教没有丝毫迷信、彻底圆融的态度。

[10]这一节综括上文，揭示《金刚经》的意旨所在。

【附录】《金刚般若波罗蜜经集注》[1]（节选）

[后秦]鸠摩罗什 译　[明]朱棣 集注

大乘正宗分第三

【佛告须菩提：诸菩萨摩诃萨应如是降伏其心】

〔李文会曰〕摩诃萨者，摩诃言大，心量广大，不可测量，乃是大悟人也。

【所有一切众生之类】

〔六祖曰〕一切者，总标也。次下别列九类。

〔王日休曰〕凡有生者，皆谓之众生，上自诸天，下至蠢动，不免乎有生，故云一切众生也。众生虽无数无穷，不过九种，下文所言是。

〔李文会曰〕众生者，谓于一切善恶凡圣等见有取舍心，起无量无边烦恼妄想，轮回六道是也。

〔古德曰〕觉华有种无人种，心火无烟日日烧。谓诸愚迷之人，被诸烦恼，则熙熙然，此非悟道，其实如木偶耳；若或中根之士，而以烦恼为苦，是则智慧不如愚痴也，不亦谬乎！固当勿存于心，苟或不然，学道何用，于己何益，须令智慧力胜之可也。

【若卵生、若胎生、若湿生、若化生；若有色、若无色；若有想、若无想、若非有想非无想】

65

〔六祖曰〕卵生者,迷性也。胎生者,习性也。湿生者,随邪性也。化生者,见趣性也。迷故造诸业,习故常流转,随邪心不定,见趣堕阿鼻;起心修心,妄见是非,内不契无相之理,名为有色;内心守直,不行恭敬供养,但言直心是佛,不修福慧,名为无色;不了中道,眼见耳闻,心想思惟,爱着法相,口说佛行,心不依行,名为有想;迷人坐禅,一向除妄,不学慈悲,喜舍智慧方便,犹如木石,无有作用,名为无想;不着二法想,故名若非有想;求理心在,故名若非无想。

〔王日休曰〕若卵生者,如大而金翅鸟,细而虮虱是也。若胎生者,如大而狮象,中而人,小而猫鼠是也。若湿生者,如鱼鳖鼋鼍,以至水中极细虫是也。若化生者,如上而天人,下而地狱,中而人间米麦果实等所生之虫是也。上四种谓欲界众生。若有色者,色谓色身,谓初禅天至四禅天诸天人,但有色身而无男女之形,已绝情欲也,此之谓色界;若无色界者,谓无色界诸天人也,此在四禅天之上,唯有灵识而无色身,故名无色界。若有想者,此谓有想天诸天人也,此天人唯有想念,故自此以上,皆谓之无色界,不复有色身故也。若无想者,此谓无想天诸天人也,在有想天之上,此天人一念寂然不动,故名无想天。若非有想非无想者,此谓非想非非想天诸天人也,此天又在无想天之上,其天人一念寂然不动,故云非有想,然不似木石而不能有想,故云非无想,此天于三界诸天为极高,其寿为极长,不止于八万劫而已。

〔李文会曰〕若卵生者,贪着无明,迷暗包覆也。若胎生者,因境求触,遂起邪心也。若湿生者,才起恶念,即堕三涂,谓贪嗔痴因此而得也。若化生者,一切烦恼,本自无根,起妄想心,忽然而有也。

〔又教中经云〕一切众生，本自具足，随业受报，故无明为卵生，烦恼包裹为胎生，爱水浸淫为湿生，欻起烦恼为化生也。又云眼耳鼻舌，回光内烛，有所贪漏，即堕四生，谓胎卵湿化是也。色声香味，回光内烛，无所贪漏，即证四果，谓须陀洹等是也。

〔傅大士曰〕空生初请问，善逝应机酬，先答云何住，次教如是修，胎生卵湿化，咸令悲智收，若起众生见，还同着相求。若有色者，谓凡夫执有之心，妄见是非，不契无相之理；若无色者，执着空相，不修福慧；若有想者，眼见耳闻，遂生妄想，口说佛行，心不依行；若无想者，坐禅除妄，犹如木石，不习慈悲智慧方便，若非有想者。

〔教中经云〕有无俱遣，语默双忘，有取舍憎爱之心，不了中道也。

〔临济禅师曰〕入凡入圣，入染入净，处处现诸国土，尽是诸法空相，是名真正见解，你若爱圣憎凡，生死海里浮沉也。非无想者，谓有求理心也。

【我皆令入无余涅槃而灭度之】

〔李文会曰〕我者，佛自谓也。皆者，总也。令者，俾也。入者，悟入也。无余者，真常湛寂也。

〔法华经云〕佛当为除断，令尽无有余涅槃者，菩萨心无取舍，如大月轮，圆满寂静，众生迷于涅槃无相之法，而为生死有相之身也。灭者，除灭，度者，化度也。

〔六祖曰〕如来指示三界九地，各有涅槃妙心，令自悟入无余者。无余，习气烦恼也。涅槃者，圆满清净义，令灭尽一切习气不生,方契此也。度者,渡生死大海也。佛心平等,普愿与一切众生,同入圆满清净无想涅槃,同渡生死大海,同诸佛所证也。烦恼万差,皆是垢心,身形无数,总名众生,如来大悲普化,皆令得入无余涅槃。

〔证道歌曰〕达者同游涅槃路,注云:涅槃者,即不生不灭也。涅而不生,槃而不灭,即无生路也。

〔冲应真人周史卿〕对吃不拓和尚指香烟云:要观学人有余涅槃,炉中灰即是;要观学人无余涅槃,炉中灰飞尽即是。

〔王日休曰〕梵语涅槃,此云无为。楞伽经云:涅槃乃清净不死不生之地,一切修行者之所依归,然则涅槃者乃超脱轮回,出离生死之地,诚为大胜妙之所,非谓死也。世人不知此理,乃误认以为死,大非也。此无余涅槃,即大涅槃也。谓此涅槃之外,更无其余,故名无余涅槃,此谓上文尽诸世界,所有九类众生,皆化之成佛,而得佛涅槃也。

【如是灭度无量无数无边众生,实无众生得灭度者】

〔王日休曰〕一切众生,皆自业缘中现。故为人之业缘,则生而为人;修天上之业缘,则生于天上;作畜生之业缘,则生为畜生;造地狱之因缘,则生于地狱。如上文九类众生,无非自业缘而生者,是本无此众生也。故菩萨发心化之,皆成佛而得涅槃,实无一众生被涅槃者,以本无众生故也。

〔僧若讷曰〕第一义中尢生可度,即是常心也。若见可度,即是生灭。良由一切众生本来是佛,何生可度,所谓平等真法界,佛不度众生。

〔陈雄曰〕大乘智慧,性固有之,然众生不能自悟,佛实开悟无量无数无边众生,令自心中愚痴邪见烦恼众生,举皆灭度矣。灭度如是其多,且曰实无众生得灭度者,盖归之众生自性自度,我何功哉。六祖坛经云:自性自度,名为真度,净名经云:一切众生,本性常灭,不复更灭。文殊菩萨问世尊:"实无众生得灭度者如何?"世尊曰:"性本清净,无生无灭。"故无众生得灭度,无涅槃可到,此皆归之众生自性耳。华严经云:若人欲了知,三世一切佛,应观法界性,一切惟心造。造化因心偈云:赋象各由心,影响无欺诈,元无造化工,群生自造化。

〔李文会曰〕无量无数无边众生者,谓起无量无数无边烦恼也。得灭度者,既已觉悟,心无取舍,无边烦恼转为妙用,故无众生可灭度也。

〔宝积经云〕智者于苦乐,不动如虚空。

〔逍遥翁曰〕善能观察烦恼性空,既过即止,勿使留碍也。又云烦恼性空,勿为挂碍,观如梦幻,不用介怀,设使情动,如响应声,即应即止。

【何以故?须菩提!若菩萨有我相、人相、众生相、寿者相,即非菩萨】

〔六祖曰〕修行人亦有四相:心有能所,轻慢众生名我相;自恃持戒,轻破戒者名人相;厌三涂苦,愿生诸天,是众生相;心爱长年,而勤修福业,法执不忘,是寿者相。有四相即是众生,无四相即是佛。

〔僧若讷曰〕言我相者,以自己六识心,相续不断,于中执我,此见乃计内也。人相者,六道外境,通称为人,于此诸境,一一计着,分别优劣,有彼有此,此见从外而立,故云人相。如众生相者,因前识心,最初投托父母,续有色受想行四阴,计其和合,名众生相。如寿者相者,计我一期,命根不断,故云寿者相。

〔陈雄曰〕贪嗔痴爱，为四恶业。贪则为己私计，是有我相；嗔则分别尔汝，是有人相；痴则顽傲不逊，是众生相；爱则希觊长年，是寿者相。如来不以度众生为功，而了无所得，以其四种相尽除也。圆觉经云：未除四种相，不得成菩提。菩萨发菩提无上道心，受如来无相教法，岂应有四种相哉，设若有一于此，则必起能度众生之心，是众生之见，非菩萨也。菩萨与众生，本无异性，悟则众生是菩萨，迷则菩萨是众生。有是四种相，在夫迷悟如何耳。何以故者，辨论之辞也。佛恐诸菩萨不知真空无相之说，故为之辨论，而有及于四种相，十七分，二十五分皆云：

〔颜丙曰〕一切众生者，涅槃经云：见佛性者，不名众生；不见佛性者，是名众生。摩诃者大也。佛告须菩提：'及大觉性之人，若卵胎湿化，乃蠢动含灵也。有形色，无形色有情想，无情想，乃至不属有无二境众生，体虽不同，性各无二，此十类众生，我皆令入无余涅槃而灭度之，涅槃者，不生谓涅，不死谓槃，经云：如来证涅槃，永断于生死。灭度者，火尽一切烦恼度脱生死苦海。令者使也。我皆使入无余涅槃。无余者，罗汉虽证涅槃，尚有身智之余，经中谓之有余涅槃；唯无身智余剩者，方谓无余涅槃，又曰：实无众生得灭度者，众生既悟本性空寂，更灭度个甚么？若四相未能直下顿空，即非菩萨觉性也。

〔傅大士颂曰〕空生初请问，善逝应机酬（善逝即世尊号），先答云何住，次教如是修，胎生卵湿化，咸令悲智收，若起众生见，还同着相求。

〔李文会曰〕有我相者，倚恃名位权势财宝艺学，攀高接贵，轻慢贫贱愚迷之流；人相者，有能所心，有知解心，未得谓得，未证谓证，自恃持戒，轻破戒者；众生相者，谓有苟求希望之心，言正行邪，口善心恶；寿者相者，觉时似悟，见境生情，执着诸相，希求福利。有此四相，即同众生，非菩萨也。

〔临济禅师曰〕五蕴身田，内有无位真人，堂堂显露，何不识取。但于一切时中，切莫间断，触目皆是，只为情生智隔，相变体殊，所以轮回三界，受种种苦。敢问诸人触目皆是，是个甚么？——山河无隔碍，重重楼阁应时开。

〔川禅师曰〕顶天立地，鼻直眼横。颂曰：堂堂大道，赫赫分明，人人本具，个个圆成，祇因差一念，现出万般形。

如法受持分第十三

【尔时，须菩提白佛言："世尊！当何名此经？我等云何奉持？"佛告须菩提："是经名为《金刚般若波罗蜜》，以是名字，汝当奉持。"】

〔王日休曰〕梵语般若波罗蜜，此云智慧到彼岸。所云金刚智慧到彼岸者，谓明此经者，其智慧则如金之刚利，断绝外妄，直至诸佛菩萨之彼岸也。以是名字汝当奉持者，谓奉事此义而持守之也。

〔陈雄曰〕唐柳宗元曰：言之著者莫如经，此经未标名时，须菩提请名于佛，而佛目之曰：金刚般若波罗蜜，俾须菩提依此名字，遵奉受持，一心流布于天下后世。

〔李文会曰〕言金刚者，坚利之物，故借金为喻，般若者，智慧也。为教众生用智慧力，照破诸法无不是空，犹如金刚触物即碎，故名般若也。波罗蜜者，到彼岸也。心若清净，一切妄念不生，能度生死苦海。汝当奉持者，只是奉持自心，行住坐卧，勿令分别人我是非也。

〔圜悟禅师云〕才有是非，纷然失心，只这一句，惊动多少人做计较，若承当得，坐得断，透出威音王那畔，若随此语转，特地纷然，自回光返照始得。天坛石鼓记云：丝毫失度，即招黑暗之愆，霎顷邪言，即犯禁空之丑。天人耳目，咫尺非遥，克告行人，自当省察。

〔庐山归宗常禅师云〕有座主来参，值宗锄草，次见一条蛇，宗遂斩之。主云：久向归宗，元来却是一个粗行沙门。宗云：是尔粗，我粗？诸人且道这僧过在什么处？汾阳昭禅师为作颂云：庐岳宗师接上机，斩蛇特地施慈悲，痴迷座主生惊怕，却道粗心惹是非。

〔死心和尚云〕只者是，大似眼里着刺；只者不是，正是开眼磕睡。诸人且道毕竟作么生则是，还委悉么，点铁化成金即易，劝人除却是非难。

〔川禅师云〕今日小出大遇。颂曰：火不能烧，水不能溺，风不能飘，刀不能劈，软似兜罗，硬似铁壁，天上人间，古今不识，咦。

【所以者何？须菩提！佛说般若波罗蜜，则非般若波罗蜜，是名般若波罗蜜。】

〔王日休曰〕此智慧到彼岸之说，真性中亦岂有哉，故云即非智慧到彼岸，谓实无也。但虚名为智慧到彼岸，以此接引众生耳。

〔陈雄曰〕柳宗元曰：法之至者，莫尚于般若。楞伽经曰：智慧观察，不堕二边，得自觉圣趣，是般若波罗蜜。三昧经曰：心无心相，不取虚空，不依诸地，不住智慧，是般若波罗蜜。然般若波罗蜜，至法也。始而亲出佛口，故有佛说之句，终而默传此心，则证入于般若三昧，超出于言意之末，而了无所得，此非般若波罗蜜也。又孰得而名之哉，既非如是，而且名其如是，是又得其所以名也。然则汝当奉持者，以是名字故。

〔颜丙曰〕此是须菩提请佛为法安名，更问如何遵奉行持，佛云：是经名为金刚般若波罗蜜，夫妙明本性，湛若太虚，体既尚无，何名之有。如来恐人生断灭见，不得已而强安是名。所以傅大士颂云：恐人生断见，权且立虚名。

〔李文会曰〕佛说般若波罗蜜者，实相般若之坚，观照般若之利，截烦恼源，达涅槃岸，即非般若波罗蜜者，既知法体元空，本无妄念，若无诸挂碍，何必持戒忍辱，湛然清净，自在逍遥，是名即非般若也。

〔川禅师云〕犹较些子。颂曰：一手辐，一手搦，左边吹，右边拍，无弦弹出无生乐，不属宫商格调新，知音知后徒名邈。

【"须菩提！于意云何？如来有所说法不？"须菩提白佛言："世尊！如来无所说。"】

〔颜丙曰〕佛问有所说法不？须菩提答云：如来无所说者，盖直下无开口处，若言有说，即为谤佛，所以世尊临入涅槃，文殊请佛再转法轮，世尊咄云：吾住世四十九年，未尝说着一字，汝请再转法轮，是吾曾转法轮耶？又佛偈曰：始从成道后，终至跋提河，于是二中间，未尝说一字。

〔李文会曰〕本心元净，诸法元空，更有何法可说。二乘之人执着人法是有，即有所说，菩萨了悟人法皆空，即无所说，是故经云：若有人言如来有所说法，即为谤佛。

〔慈受禅师云〕吾心似秋月，碧潭光皎洁，无物堪比伦，教我如何说？寒山子说不得则且止，诸人还说得么，直须口似磉盘,方始光明透漏,若能了悟色性皆空,有无俱遣,语默双亡,即见自性清净,虽终日言,犹为无言,虽终日说,犹为无说。

〔保宁勇禅师云〕门前诸子列成行,各逞英雄越霸王,如何独有无言者,坐断毗卢不可当。

〔傅大士曰〕名中无有义,义上复无名,金刚喻真智,能破恶坚贞,若到波罗岸,入理出迷情,智人心自觉,愚者外求声。

〔川禅师云〕低声低声。颂曰:入草求人不奈何,利刀断了手摩挲,虽然出入无踪迹,文彩全彰见也么。

【"须菩提!于意云何?三千大千世界所有微尘是为多不?"须菩提言:"甚多,世尊!""须菩提!诸微尘,如来说非微尘,是名微尘。如来说:世界,非世界,是名世界。"】

〔陈雄曰〕华严经云:三千大千世界,以无量因缘乃成一切众生,岂外此而别有世界耶?悟者处此,迷者亦处此。悟者之心,清净心也,以此心处此世界,即清净世界。迷者之心,尘垢心也,以此心处此世界,即微尘世界。然世界许多,而微尘不胜其多,宜须菩提有甚多之对。又曰:诸微尘者,一切众生心上微尘也。佛分身于微尘世界中,示现无边大神力,开阐清净无垢法,使一切众生,皆生清净心,非微尘所可污,故云非微尘,得出世间法,非世界所能囿,故云非世界。世尊答文殊曰:在世离世,在尘离尘,是为究竟法。此言非微尘,非世界,即离尘离世也。

〔颜丙曰〕世界微尘,二者皆非真实。经云:一切山崖,会有崩裂,一切江河,会有枯竭,唯有法身,常住不灭。

〔李文会曰〕微尘者,众生妄念烦恼客尘,遮蔽净性,譬如微尘,如是烦恼妄想,如病眼人见空中花,如愚痴人捉水中月,求镜中像,枉用其心。

〔傅大士颂曰〕积尘成世界，析界作微尘，界喻人天果，尘为有漏因，尘因因不实，界果果非真，果因知是幻，逍遥自在人。又曰：妄计因成执，迷绳谓是蛇，心疑生暗鬼，眼病见空花，一境虽无异，三人乃见差，了兹名不实，长驱白牛车。

〔晁太傅云〕念念起止，皆由自心，念起即一切烦恼起，无念即一切烦恼止，既由自心，何如无念。又古德云：一念不生全体现，六根才动被云遮。

〔察禅师云〕真净界中才一念，阎浮早已八千年。

〔逍遥翁云〕不怕念起，唯恐觉迟，觉速止速，二妙相宜，知非改过，蘧颜可师。

〔圜悟禅师上堂云〕十方同聚会，个个学无为，此是选佛场，心空及第归，大丈夫具决烈志气，慷慨英灵，踏破化城，归家稳坐，外不见一切境界，内不见有自己，上不见有诸圣，下不见有凡愚，净裸裸，赤洒洒，一念不生，桶底子脱，岂不是心空也。到这里还容棒喝么，还容玄妙理性么，还容彼我是非么，直不如红炉上一点雪相似，岂不是选佛场也。然虽如是，犹涉阶梯在，且下涉阶梯一句作么生道，千圣会中无影迹，万人丛里夺高标。

〔逍遥翁云〕五鼓梦回，缘念未起，灵响清彻，闻和达聪，为三妙音，一曰幽泉漱玉，二曰清磬摇空，三曰秋蝉曳绪，凝听静专，颇资禅悦，安住妙境，何胜如之，要会么，病觉四肢如鹤瘦，虚闻两耳似蝉鸣。非微尘是名微尘者，一念悟来，转为妙用，前念无诸妄想，湛然清净，即非微尘；后念不住清净，是名微尘，非世界是名世界者。若无妄念，即佛世界；有妄念，即众生世界。前念清净，即非世界，后念不住清净，是名世界。

〔谢灵运曰〕散则为微尘,合则成世界,无性则非微尘世界,假名则是名微尘世界。

〔川禅师云〕南赡部洲,北郁单越。颂曰:头指天,脚踏地,饥则餐,困则睡,此土西天,西天此土,到处元正是大年,南北东西祇者是。

【"须菩提!于意云何?可以三十二相见如来不?""不也,世尊!不可以三十二相得见如来。何以故?如来说三十二相,即是非相,是名三十二相。"】

〔王日休曰〕三千大千世界微尘,可谓极多矣。然见雨则为泥,遇火则为砖瓦,是无微尘之定体,所以为虚妄也。是故说为非微尘,谓非有真实微尘也。但虚名为微尘而已,此谓极细而极多者也。若极大者则世界,世界亦无真实,盖劫数尽时则坏,是亦虚妄,非为真实,但名为世界而已。佛虽现色身而为三十二相,至涅槃时,则皆无矣,不可以此得见真佛,故云:不可以三十二相得见如来,此如来谓真性佛也。下文言如来说三十二相,彼如来则谓色身佛耳,乃佛谓我说三十二相者,即是非相,谓非真实相也。但名为三十二相而已。此分大意,谓细而微尘,大而世界,妙而佛之色身,皆为虚妄,但有名而已。唯真性谓真实,是以自古及今,无变无坏,彼三者则有变坏故也。

〔陈雄曰〕三十二相者,胜妙殊绝,形体映彻,犹如琉璃,此相非是欲爱所生,楞严经有是言矣。谓其非是欲爱所生,则是从三十二行上得之。世人徒着三十二相,而不修三十二行,将焉自而得见法身如来。又曰:如来有是行,必有是相法也。说相者其意在于三十二行,即非相也。曰非相者,其法身之谓欤。华严经曰:诸佛法身不思议,无色无形无影像,名三十二相,亦以

76

是耳,岂他求哉。故如来有是名之说。般若经云:如来足下有平满相,是为第一;如来足下千辐轮文,无不圆满,是为第二;如来手足,并皆柔软,如兜罗绵,是为第三;如来两足,一一指间,犹如雁王,文同绮画,是为第四;如来手足,诸指圆满,纤长可爱,是为第五;如来足跟,广长圆满,与跌相称,是为第六;如来足跌,修高光满,与跟相称,是为第七;如来双䏶,渐次纤圆,如鹿王䏶,是为第八;如来双臂,平立摩膝,如象王鼻,是为第九;如来阴相藏蜜,是为第十;如来毛孔,各一毛生,绀青宛转,是为第十一;如来发毛,右旋宛转,是为第十二;如来身皮,细薄润滑,垢水不住,是为第十三;如来身皮,金色晃耀,诸宝庄严,是为第十四;如来两足两掌,中颈双肩,七处充满,是第十五;如来肩项,圆满殊妙,是第十六;如来髆腋,悉皆充实,是第十七;如来容仪,洪满端直,是第十八;如来身相,修广端严,是第十九;如来体相,量等圆满,是第二十;如来额臆,并身上半,威容广大,如师子王,是二十一;如来常光,面各一寻,是二十二;如来齿相,四十齐平,净蜜根深,白逾珂雪,是二十三;如来四牙,鲜白锋利,是二十四;如来常得味中上味,是二十五;如来舌相,薄净广长,能覆面轮,至耳发际,是二十六;如来梵音,词韵和雅,随众多少,无不等闻,是二十七;如来眼睫,犹若牛王,绀青齐整,是二十八;如来眼睛,绀青鲜白红环,是二十九;如来面轮,其犹满月,眉相皎洁,如天帝弓,是第三十;如来眉间,有白毫相,柔软如绵,白逾珂雪,是三十一;如来顶上,乌瑟腻沙,高显周圆,犹如天盖,是三十二。

〔颜丙曰〕(注三十二相,与前般若经同,更不重述)以上乃三十二相也。若据如来妙相,本性湛然空寂,一相尚不可得,岂可以三十二相而求见也。佛在忉利天,目连令匠人雕佛三十二相,只雕得三十一相,唯有梵音相雕不得,院主问南泉,如何是梵音相,泉云赚杀人。

〔李文会曰〕三十二相者,谓眼耳鼻舌身,五根中具修六波罗蜜,谓布施,持戒,忍辱,精进,禅定,智慧是也。于意根中修无住、无为,是三十二相清净行也。如来说三十二相,即是非相,是名三十二相者,此谓法身有名无相,故云非相,既悟非相,即见如来。

〔逍遥翁曰〕须知诸佛法身,本性无身,而以相好庄严为身。故临济云:真佛无形,真道无体,真法无相也。

〔川禅师曰〕借婆衫子拜婆年。颂曰:你有我亦有,君无我亦无,有无俱不立,相对觜卢都。

【"须菩提!若有善男子、善女人,以恒河沙等身命布施。"】

〔李文会曰〕譬如有人舍身命布施,求无上菩提,此谓住相布施也。

〔禅要经云〕若于外相求之,虽经万劫,终不能得。

〔教中经云〕若见有身可舍,即是不了蕴空。昔日罽宾国王,仗剑诣狮子尊者所,问曰:师得蕴空不?尊者曰:已得之矣。王曰:可施我头。尊者曰:身非我有,何况于头,王遂斩之,白乳高丈余,王臂自落。是知人法俱空,不应住色布施,所以尊者不畏于死也。

〔傅大士云〕法性无前后,无中非故新,蕴空非实体,凭何见有人。故舍身命布施,即与菩提转不相应,盖为不见佛性,纵舍身命如恒河沙数,何益于事。又曰:施命如沙数,人天业转深,既掩菩提相,能障涅槃心,猿猴探水月(证道歌云:水中捉

月争拈得),谎谎拾花针(玉篇,谎力盎切,谎蔡盎切,本草作谎
菪子,亦名浪荡,生食令人发狂,眼生花针,即以手拾之,其实
无花针),爱河浮更没,苦海出还沉。

【"若复有人,于此经中,乃至受持四句偈等,为他人说,其
福甚多!"】

〔颜丙曰〕若人以恒河沙等身命布施,等者,比也。虽受顽
福,毕竟不明本性,如生豪贵之家,骄奢纵恣,不容不作业,反
受业报,争如受持四句,为他人说,自利利他,其福甚多。

〔傅大士颂曰〕经中称四句,应当不离身,愚人看似梦,智
者见唯真,法性无前后(法性者,真佛性也,历劫长存,故无前
后),无中非故新(真性如虚空,本无形相,故云无中也。此性常
住不灭,不以前生而故,不以今生而新,故云非故新也),蕴空
无实相,凭何见有人(心经曰:照见五蕴皆空)。

〔川禅师曰〕两彩一赛。颂曰:伏手滑槌不换剑,善使之人
皆总便,不用安排本现成,个中须是英灵汉,啰啰哩哩啰啰,山
花笑,野鸟歌,此时如得意,随处萨婆诃。

【注释】

[1]由于《金刚经》在中国佛教中的重要地位,自唐代之后,
对此经进行注解、阐释的著作甚多。明代初期,明成祖朱棣建
都北京后,曾集《金刚经》各家注释为四卷,当时称为《御制金
刚般若波罗蜜经集注》,又因大约采集五十三家注本,故又称
《金刚经五十三家注》,书前有明成祖所作序。所录经文依梁昭
明太子分目,开为三十二分,这里节选(第三和第十三)两分,
可以大致看到古代佛经注解的情况。

《维摩诘所说经》[1]（节选）

[后秦]鸠摩罗什 译

　　尔时毗耶离[2]城有长者子，名曰宝积，与五百长者子，俱持七宝盖，来诣佛所，头面礼足，各以其盖共供养佛。佛之威神，令诸宝盖合成一盖，遍覆三千大千世界，而此世界广长之相，悉于中现；又此三千大千世界诸须弥山[3]、雪山、目真邻陀山、摩诃目真邻陀山、香山、宝山、金山、黑山、铁围山[4]、大铁围山，大海江河，川流泉源，及日月星辰、天宫、龙宫、诸尊神宫，悉现于宝盖中；又十方诸佛，诸佛说法，亦现于宝盖中。尔时一切大众。睹佛神力，叹未曾有。合掌礼佛，瞻仰尊颜，目不暂舍。于是长者子宝积即于佛前，以偈颂曰：

　　　　目净修广如青莲，心净已度诸禅定，
　　　　久积净业称无量，导众以寂故稽首。
　　　　既见大圣以神变，普现十方无量土，
　　　　其中诸佛演说法，于是一切悉见闻。
　　　　法王法力超群生，常以法财施一切，
　　　　能善分别诸法相，于第一义而不动，
　　　　已于诸法得自在，是故稽首此法王。
　　　　说法不有亦不无，以因缘故诸法生，
　　　　无我无造无受者，善恶之业亦不亡。
　　　　始在佛树力降魔，得甘露灭觉道成，
　　　　已无心意无受行，而悉摧伏诸外道。

三转法轮于大千,其轮本来常清净,
天人得道此为证,三宝于是现世间。
以斯妙法济群生,一受不退常寂然,
度老病死大医王,当礼法海德无边。
毁誉不动如须弥,于善不善等以慈,
心行平等如虚空,孰闻人宝不敬承。
今奉世尊此微盖,于中现我三千界,
诸天龙神所居宫,乾闼婆等及夜叉,
悉见世间诸所有,十力哀现是化变,
众睹希有皆叹佛,今我稽首三界尊。
大圣法王众所归,净心观佛靡不欣,
各见世尊在其前,斯则神力不共法。
佛以一音演说法,众生随类各得解,
皆谓世尊同其语,斯则神力不共法。
佛以一音演说法,众生各各随所解,
普得受行获其利,斯则神力不共法。
佛以一音演说法,或有恐畏或欢喜,
或生厌离或断疑,斯则神力不共法。
稽首十力大精进,稽首已得无所畏,
稽首住于不共法,稽首一切大导师,
稽首能断众结缚,稽首已到于彼岸,
稽首能度诸世间,稽首永离生死道。
悉知众生来去相,善于诸法得解脱,
不著世间如莲华,常善入于空寂行,
达诸法相无挂碍,稽首如空无所依。[5]

尔时长者子宝积说此偈已，白佛言："世尊！是五百长者子，皆已发阿耨多罗三藐三菩提[6]心，愿闻得佛国土清净，唯愿世尊说诸菩萨净土之行！"

佛言："善哉！宝积！乃能为诸菩萨，问于如来净土之行。谛听，谛听！善思念之，当为汝说！"于是宝积及五百长者子受教而听。

佛言："宝积！众生之类是菩萨佛土，所以者何？菩萨随所化众生而取佛土，随所调伏众生而取佛土，随诸众生应以何国入佛智慧而取佛土，随诸众生应以何国起菩萨根而取佛土。所以者何？菩萨取于净国，皆为饶益诸众生故。譬如有人，欲于空地，造立宫室，随意无碍；若于虚空，终不能成！菩萨如是，为成就众生故，愿取佛国，愿取佛国者，非于空也。[7]

宝积当知，直心是菩萨净土，菩萨成佛时，不谄众生来生其国；深心是菩萨净土，菩萨成佛时，具足功德众生来生其国；菩提心是菩萨净土，菩萨成佛时，大乘众生来生其国；布施是菩萨净土，菩萨成佛时，一切能舍众生来生其国；持戒是菩萨净土，菩萨成佛时，行十善道[8]满愿众生来生其国；忍辱是菩萨净土，菩萨成佛时，三十二相庄严众生来生其国；精进是菩萨净土，菩萨成佛时，勤修一切功德众生来生其国；禅定是菩萨净土，菩萨成佛时，摄心不乱众生来生其国；智慧是菩萨净土，菩萨成佛时，正定众生来生其国；四无量心[9]是菩萨净土，菩萨成佛时，成就慈、悲、喜、舍众生来生其国；四摄[10]法是菩萨净土，菩萨成佛时，解脱所摄众生来生其国；方便是菩萨净土，菩萨成佛时，于一切法方便无碍众生来生其国；三十七道品[11]是菩萨净土，菩萨成佛时，念处、正勤、神足、根、力、觉、道众生来生其国;回向心是菩萨净土,菩萨成佛时,得一切具足功德国土;说除八难[12]是菩萨净土,菩萨成佛时,国土无有三恶八难;自守戒行、不讥彼阙是菩萨净土,菩萨成佛时,国土无有犯禁之名;十善是菩萨净土,菩萨成佛时,命不中夭,大富梵行,所言诚谛,常以软语,眷属不离,善和净讼,言必饶益,不嫉不恚,正见众生来生其国。

如是,宝积!菩萨随其直心,则能发行;随其发行,则得深心;随其深心,则意调伏;随意调伏,则如说行;随如说行,则能回向;随其回向,则有方便;随其方便,则成就众生;随成就众生,则佛土净;随佛土净,则说法净;随说法净,则智慧净;随智慧净,则其心净;随其心净,则一切功德净。是故宝积!若菩萨欲得净土,当净其心;随其心净,则佛土净。"[13]

尔时舍利弗承佛威神,作是念:"若菩萨心净,则佛土净者,我世尊本为菩萨时,意岂不净,而是佛土不净若此?"佛知其念,即告之言:"于意云何?日月岂不净耶?而盲者不见。"对曰:"不也,世尊!是盲者过,非日月咎。"

"舍利弗!众生罪故,不见如来佛土严净,非如来咎;舍利弗!我此土净,而汝不见。"尔时螺髻梵王语舍利弗:"勿作是意,谓此佛土以为不净。所以者何?我见释迦牟尼佛土清净,譬如自在天宫。"舍利弗言:"我见此土丘陵坑坎、荆蕀沙砾、土石诸山、秽恶充满。"螺髻梵王言:"仁者心有高下,不依佛慧,故见此土为不净耳!舍利弗,菩萨于一切众生,悉皆平等,深心清净,依佛智慧,则能见此佛土清净。"

（卷上《佛国品》）

【注释】

[1]《维摩诘所说经》：又名《不可思议解脱经》，简称《维摩诘经》，后秦鸠摩罗什译，3卷，14品。通过毗耶离城居士维摩诘与文殊师利等人共论佛法，阐扬大乘般若性空的思想，排除一切是非善恶等差别境界，成就不二法门的极致。全经寓于象征意义的谈话形式，显示出大乘性空思想的极致境界，后世也将维摩诘作为在家修学佛教者的典范。鸠摩罗什的译本文字典雅，富有艺术感染力。此经从东汉至唐初，有多种汉译本，但以鸠摩罗什的译本影响最大。

[2]毗耶离：亦译作毗邪、毘舍离、吠舍离等。古印度城名，位于恒河北岸，与南方的摩揭陀国相对。据此经，维摩诘与宝积皆为居于毗耶离城的大居士。

[3]须弥山：意译为"妙高山"，原为古印度神话中的山名，后为佛教所采用，指一个小世界的中心。山顶为帝释天所居，山腰为四天王所居。四周有七山八海、四大部洲。

[4]铁围山：又作轮围山、金刚山等。佛教认为南赡部洲等四大部洲之外，有铁围山，周匝如轮，故名。

[5]这段偈颂是对超越有限的时空、证得清净平等无碍法门的法性意义上的佛陀的高度赞美之词。特别赞美了佛陀以一音声说法，而各类众生随其类别获得各自的理解这种不可思议的境界，体现了大乘佛教包容世间一切的精神。

[6]阿耨多罗三藐三菩提："阿耨多罗"意译为"无上"，"三藐三菩提"意译为"正等正觉"，乃佛陀所彻底觉悟之智慧，含有平等、圆满之意。

[7]参看《注维摩诘经》僧肇的注释："净土必由众生，譬立

宫必因地,无地无众生,宫土无以成。二乘澄神虚无,不因众生,故无净土也。"阐明净土乃大乘佛教所独有、非空非有的境界。

[8]十善道:佛教所称世间十种善业,即不杀生、不偷盗、不邪淫、不妄语、不两舌、不恶口、不绮语、不贪、不嗔、不痴。与此相反的称为"十不善道"。

[9]四无量心:菩萨普度无量众生的四种精神,即慈、悲、喜、舍。所谓慈,即友爱之心;悲,即同情他人的受苦;喜,即喜悦他人之享有幸福;舍,即舍弃一切冤亲之差别相,而平等亲之。

[10]四摄:谓菩萨为摄受众生归依佛法而常行的四事,包括:布施摄,惠以财物、佛法等;爱语摄,善言慰喻;利行摄,行善利人;同事摄,分身示现,随机教化。

[11]三十七道品:又作菩提分、觉支,即为追求智慧,进入涅槃境界之三十七种修行方法,包括:四念处、八正道等。

[12]八难:谓难于见佛闻法,凡有八端,故名八难。按即地狱、饿鬼、畜生、北拘卢洲(亦作郁单越)、长寿天、盲聋喑哑、世智辩聪、佛前佛后八种。一至三,即三恶道,恶业重,难以见佛;生北拘卢洲有乐无苦,不思修道;生长寿天,谓色界及无色界天长寿安乐之处,其逸乐远胜北拘卢洲,更不欲修道;聋、盲、喑、哑于求道皆有障碍;世智辩聪,自恃聪明才辩,不肯信佛;生于佛前佛后,无缘见佛。

[13]这一节强调融行归心,一切唯心。净心为因,净土为果,净众生心得佛土净。后一段谓万事万形皆由心成,若心有高下则丘陵是生,前后相映,可悟唯心净土之意。

尔时毗耶离大城中有长者,名维摩诘,已曾供养无量诸佛,深植善本,得无生忍;辩才无碍,游戏神通,逮诸总持[1];获无所畏,降魔劳怨;入深法门,善于智度,通达方便,大愿成就;明了众生心之所趣,又能分别诸根利钝,久于佛道,心已纯淑[2],决定大乘;诸有所作,能善思量;住佛威仪,心大如海,诸佛咨嗟,弟子、释、梵、世主所敬。欲度人故,以善方便,居毗耶离;资财无量,摄诸贫民;奉戒清净,摄诸毁禁;以忍调行,摄诸恚怒;以大精进,摄诸懈怠;一心禅寂,摄诸乱意;以决定慧,摄诸无智;虽为白衣,奉持沙门清净律行;虽处居家,不著三界;示有妻子,常修梵行;现有眷属,常乐远离;虽服宝饰,而以相好严身;虽复饮食,而以禅悦为味;若至博弈戏处,辄以度人。……[3]

长者维摩诘,以如是等无量方便饶益众生。其以方便,现身有疾。以其疾故,国王大臣、长者居士、婆罗门等,及诸王子并余官属,无数千人,皆往问疾。其往者,维摩诘因以身疾,广为说法:"诸仁者!是身无常、无强、无力、无坚、速朽之法,不可信也!为苦、为恼,众病所集。诸仁者!如此身,明智者所不怙;是身如聚沫,不可撮摩;是身如泡,不得久立;是身如炎,从渴爱生;是身如芭蕉,中无有坚;是身如幻,从颠倒起;是身如梦,为虚妄见;是身如影,从业缘现;是身如响,属诸因缘;是身如浮云,须臾变灭;是身如电,念念不住;是身无主,为如地;是身无我,为如火;是身无寿,为如风;是身无人,为如水;是身不实,四大为家;是身为空,离我我所;是身无知,如草木瓦砾;是身无作,风力所转;是身不净,秽恶充满;是身为虚伪,虽假以澡浴衣食,必归磨灭;是身为灾,百一病恼;是身如丘井,为老所逼;是身无定,为要当死;是身如毒蛇、如怨贼、如空聚,阴界诸入所共合成。"诸仁者！此可患厌，当乐佛身。所以者何？佛身者即法身也；从无量功德智慧生，从戒、定、慧、解脱、解脱知见生，从慈、悲、喜、舍生，从布施、持戒、忍辱、柔和、勤行精进、禅定、解脱、三昧、多闻、智慧诸波罗蜜生，从方便生，从六通生，从三明生，从三十七道品生，从止观生，从十力、四无所畏、十八不共法生，从断一切不善法、集一切善法生，从真实生，从不放逸生；从如是无量清净法生如来身。诸仁者！欲得佛身、断一切众生病者，当发阿耨多罗三藐三菩提心。"[4]

如是长者维摩诘，为诸问疾者，如应说法，令无数千人皆发阿耨多罗三藐三菩提心。（卷上《方便品》）

【注释】

[1]总持：梵语陀罗尼的意译，谓持善不失，持恶不生，具备众德。亦指咒语。

[2]淑：清湛。《说文·水部》："淑，清湛也。"

[3]这一节描述维摩诘在家修行的种种情形，显示其入世而出世、在欲而无欲的菩萨精神。

[4]这一节描述维摩诘示疾而为大众方便说法，特别点明人身的无常性，从而引发对佛的常乐我净的法身的向往。

于是，长者维摩诘自念："寝疾于床，念佛在心。"佛亦悦可是长者，便告贤者舍利弗："汝行诣[1]维摩诘问疾。"

舍利弗白佛言："我不堪任诣彼问疾。所以者何？忆念我昔，常宴坐[2]他树下，时维摩诘来谓我言：'唯！舍利弗！不必是坐为宴坐也。贤者！坐当如法，不于三界现身意，是为宴坐；不于内意有所住，亦不于外作二观，是为宴坐；立于禅以灭意现诸身，是为宴坐；于六十二见[3]而不动，于三十七品而观行；于生死劳垢而不造，在禅行如泥洹[4]。若贤者如是坐，如是立，是为明晓如来坐法。'时我，世尊！闻是法，默而止，不能加报，[5]故我不任诣彼问疾。"

……

佛告贤者大迦叶："汝行诣维摩诘问疾。"

迦叶白佛言："我不堪任诣彼问疾。所以者何？忆念我昔于贫聚而行乞，时维摩诘来谓我言：'如贤者，有大哀，舍大姓，从贫乞。[6]当知，已等法施，普施于所行，已能不食，哀故从乞。如不以言若住空聚，所入聚中，欲度男女，所入城邑，知其种姓，辄诣劣家所行乞，于诸法无所受。若见色如盲等，所闻声如响等，所嗅香如风等，所食味不以识得，细滑无更乐，于识法如幻。如今，耆年！已过八邪，八解正受，以正定越邪定。以是所乞，敬一切人，亦以奉敬诸佛贤圣，然后自食。如是食者，为非众劳，亦非无劳，不有定意，亦无所立，不在生死，不住灭度。如贤者食所乞与者，为非无福，亦非大福，为非耗减，亦非长益，是为正依佛道，不依弟子之道。贤者！如是，为不以痴妄，食国中施。'时我，世尊！闻其说是，至未曾有，一切菩萨当为作礼。斯有家名，乃以此辩劝发道意。吾从是来，希复立人为弟子缘一觉行，每事劝人学无上正真之道，故我不任诣彼问疾。"（卷上《弟子品》）

【注释】

[1]诣(yì)：到。《弟子品》通过佛陀派遣其诸大弟子到维摩

88

诘处问疾，而诸弟子皆叙述往昔与维摩诘交往时，被维摩诘之大智慧所折服，表示自己没有资格去问疾的情节，充分阐发了大乘佛教空宗的要义，也从侧面赞扬了维摩诘的智慧辩才。本书仅节录两节，以窥一斑。

[2]宴坐：又作"燕坐"，安身正坐之意，指坐禅。

[3]六十二见：指古代印度外道所执之六十二种错误见解，包括常论四种、亦常亦无常论四种、边无边论四种、种种论四种等等。

[4]泥洹：早期佛经翻译使用的概念，即涅槃，意译为灭度、寂灭等，指不生不灭的境界。

[5]指理出意外，不能酬对。

[6]大迦叶因怜悯穷人不植福德，导致今生贫苦的果报，因此他外出乞食时，专门到穷人家，目的是为了让他们积累福报，同时也为了自身修习头陀苦行。但这一点遭到维摩诘的批评，认为大迦叶这种做法有分别心，并非平等乞食。因为生死轮转，贵贱无常，苦与乐也没有差别，最高境界的乞食应该是所闻声如响，所嗅香如风，既非无福，也非有福，对外在一切境界做到心无挂碍。

于是佛告弥勒菩萨："汝行诣维摩诘问疾。"[1]

弥勒白佛言："世尊！我不堪任诣彼问疾。所以者何？忆念我昔为兜率天王及其眷属，说不退转地之行。时维摩诘来谓我言：'弥勒！世尊授仁者记，一生当得阿耨多罗三藐三菩提。[2]为用何生，得受记乎？过去耶？未来耶？现在耶？若过去生，过去生已灭；若未来生，未来生未至；若现在生，现在生无住。如佛所说:比丘! 汝今即时,亦生亦老亦灭。若以无生得受记者,无生即是正位,于正位中,亦无受记,亦无得阿耨多罗三藐三菩提,云何弥勒受一生记乎? 为从如生得受记耶? 为从如灭得受记耶? 若以如生得受记者,如无有生;若以如灭得受记者,如无有灭。一切众生皆如也,一切法亦如也,众圣贤亦如也,至于弥勒亦如也。若弥勒得受记者,一切众生亦应受记。所以者何? 夫如者不二不异,若弥勒得阿耨多罗三藐三菩提者,一切众生皆亦应得。所以者何? 一切众生即菩提相。[3]若弥勒得灭度者,一切众生亦应灭度。所以者何? 诸佛知一切众生毕竟寂灭,即涅槃相,不复更灭。是故,弥勒! 无以此法诱诸天子,实无发阿耨多罗三藐三菩提心者,亦无退者。弥勒! 当令此诸天子,舍于分别菩提之见。所以者何? 菩提者不可以身得,不可以心得;寂灭是菩提,灭诸相故;不观是菩提,离诸缘故;不行是菩提,无忆念故;断是菩提,舍诸见故;离是菩提,离诸妄想故;障是菩提,障诸愿故;不入是菩提,无贪著故;顺是菩提,顺于如故;住是菩提,住法性故;至是菩提,至实际故;不二是菩提,离意法故;等是菩提,等虚空故;无为是菩提,无生住灭故;知是菩提,了众生心行故;不会是菩提,诸入不会故;不合是菩提,离烦恼习故;无处是菩提,无形色故;假名是菩提,名字空故。如化是菩提,无取舍故;无乱是菩提,常自静故;善寂是菩提,性清净故;无取是菩提,离攀缘故;无异是菩提,诸法等故;无比是菩提,无可喻故;微妙是菩提,诸法难知故。'世尊! 维摩诘说是法时,二百天子得无生法忍。故我不任诣彼问疾。"

佛告光严童子:"汝行诣维摩诘问疾。"

光严白佛言:"世尊! 我不堪任诣彼问疾。所以者何? 忆念我昔出毗耶离大城,时维摩诘方入城,我即为作礼而问言:'居士从何所来?'答我言:'吾从道场来。'我问:'道场者何所是?'答曰:'直心是道场,无虚假故;发行是道场,能办事故;深心是道场,增益功德故;菩提心是道场,无错谬故;布施是道场,不望报故;持戒是道场,得愿具故;忍辱是道场,于诸众生心无碍故;精进是道场,不懈退故;禅定是道场,心调柔故;智慧是道场,现见诸法故;慈是道场,等众生故;悲是道场,忍疲苦故;喜是道场,悦乐法故;舍是道场,憎爱断故;神通是道场,成就六通故;解脱是道场,能背舍故;方便是道场,教化众生故;四摄是道场,摄众生故;多闻是道场,如闻行故;伏心是道场,正观诸法故;三十七品是道场,舍有为法故;谛是道场,不诳世间故;缘起是道场,无明乃至老死皆无尽故;诸烦恼是道场,知如实故;众生是道场,知无我故;一切法是道场,知诸法空故;降魔是道场,不倾动故;三界是道场,无所趣故;师子吼是道场,无所畏故;力、无畏、不共法[4]是道场,无诸过故;三明是道场,无余碍故;一念知一切法是道场,成就一切智故。如是,善男子!菩萨若应诸波罗蜜教化众生,诸有所作,举足下足,当知皆从道场来,住于佛法矣!'[5]说是法时,五百天、人皆发阿耨多罗三藐三菩提心。故我不任诣彼问疾。"

佛告持世菩萨:"汝行诣维摩诘问疾。"

持世白佛言:"世尊!我不堪任诣彼问疾。所以者何?忆念我昔,住于静室,时魔波旬[6],从万二千天女,状如帝释,鼓乐弦歌,来诣我所。与其眷属,稽首我足,合掌恭敬,于一面立。我意谓是帝释,而语之言:'善来憍尸迦[7]!虽福应有,不当自恣。当观五欲无常,以求善本,于身命财而修坚法。'即语我言:'正士！受是万二千天女，可备扫洒。'我言：'憍尸迦！无以此非法之物要我沙门释子，此非我宜。'所言未讫，时维摩诘来谓我言：'非帝释也，是为魔来娆固汝耳！'即语魔言：'是诸女等，可以与我，如我应受。'[8]魔即惊惧，念：'维摩诘将无恼我？'欲隐形去，而不能隐；尽其神力，亦不得去。即闻空中声曰：'波旬！以女与之，乃可得去。'魔以畏故，俯仰而与。"

"尔时维摩诘语诸女言：'魔以汝等与我，今汝皆当发阿耨多罗三藐三菩提心。'即随所应而为说法，令发道意。复言：'汝等已发道意，有法乐可以自娱，不应复乐五欲乐也。'天女即问：'何谓法乐？'答言：'乐常信佛，乐欲听法，乐供养众，乐离五欲；乐观五阴如怨贼，乐观四大如毒蛇，乐观内入如空聚；乐随护道意，乐饶益众生，乐敬养师；乐广行施，乐坚持戒，乐忍辱柔和，乐勤集善根，乐禅定不乱，乐离垢明慧；乐广菩提心，乐降伏众魔，乐断诸烦恼，乐净佛国土，乐成就相好故，修诸功德；乐严道场；乐闻深法不畏；乐三脱门，不乐非时；乐近同学，乐于非同学中，心无恚碍；乐将护恶知识，乐亲近善知识；乐心喜清净，乐修无量道品之法。是为菩萨法乐。'"

"于是波旬告诸女言：'我欲与汝俱还天宫。'诸女言：'以我等与此居士，有法乐，我等甚乐，不复乐五欲乐也。'魔言：'居士可舍此女？一切所有施于彼者，是为菩萨。'维摩诘言：'我已舍矣！汝便将去，令一切众生得法愿具足。'于是诸女问维摩诘：'我等云何，止于魔宫？'维摩诘言：'诸姊！有法门名无尽灯，汝等当学。无尽灯者，譬如一灯，燃百千灯，冥者皆明，明终不尽。[9]如是，诸姊！夫一菩萨开导百千众生，令发阿耨多罗三藐三菩提心，于其道意亦不灭尽，随所说法，而自增益一切善法,是名无尽灯也。汝等虽住魔宫,以是无尽灯,令无数天子天女,发阿耨多罗三藐三菩提心者,为报佛恩,亦大饶益一切众生。'尔时天女头面礼维摩诘足,随魔还宫,忽然不现。世尊!维摩诘有如是自在神力,智慧辩才,故我不任诣彼问疾。"(《**维摩诘经**》卷上《**菩萨品**》)

【注释】

[1]这一品中,佛陀又派遣弥勒等众菩萨前往维摩诘处问疾,这些菩萨也声称自己没有资格去问疾,并回忆往昔与维摩诘交往情形,进一步展现维摩诘的辩才无碍。这里亦只节选三人以窥一斑。

[2]按照佛经记载,弥勒是此世界继释迦牟尼之后降临人间成佛的大菩萨,故称其为"未来佛"。在此之前,弥勒住于兜率天内院。

[3]这一节议论谓,从佛法真谛上说,并无过去、现在、未来的区别,所以所谓"未来佛",应指一切众生而言,称弥勒为未来佛,也只是一种方便之说而已。

[4]不共法:指不共通的功德法,乃佛及菩萨所具足,而凡夫与二乘所无之殊胜特质。在大小乘诸经论中,于此不共法颇有异同之说,一般系将佛之十力、四无所畏、三念住,及佛之大悲,合称为"十八不共法"。

[5]维摩诘在这一节中,对于何为"道场"做了一番辩通无碍的解说,最后归结为"一切法是道场",处在这样的境界中,则举足投足皆在道场中。这一点对于后世中国佛教影响很大,比如禅宗的扬眉瞬目,呵斥棒击乃至拳打脚踢等,皆是方便说

法的门径, 穿衣食饭, 行住坐卧, 皆在定中, 即将修行之道遍及日常生活的一切处所。

[6]波旬: 魔王名, 为欲界第六天之主, 其义为恶者、杀者。据佛经记载, 常以憎恨佛法, 杀害僧人为事, 常常幻化出美女等形状, 扰乱修行者身心, 障碍善法。

[7]憍尸迦: 忉利天(亦称三十三天)之主, 又译为憍支迦, 为帝释天之异名, 乃信奉拥护佛教之善神。

[8]在这一节中, 维摩诘不回避女色, 认为恰好可以利用这个机会为其讲说佛法, 通过这一情节, 显示小乘佛教与大乘佛教修行观念上的不同, 本节中的持世菩萨即为小乘佛教修行者的代表, 面对女色, 他的态度是"此非我宜"。这节文字同时也表明: 对世间一切事物不回避而能善于利用, 正是大乘佛教摆脱魔恼的一种方便途径, 因为大乘佛教认为, 说到底, 魔也只是自己内心产生的幻象而已, 魔之本质也仍然是佛。

[9]"无尽灯"正是菩萨精神的象征。菩萨为救度一切众生, 必须入生死苦海, 而不是远离生死, 像无尽灯一样, 将佛法真理辗转传播。可以参看唐代禅门大德马祖道一《语录》的一段阐发:"道不用修, 但莫污染。何为污染? 但有生死心, 造作趣向, 皆是污染。若欲直会其道, 平常心是道。谓平常心无造作, 无是非, 无取舍, 无断常, 无凡无圣。经云:'非凡夫行, 非贤圣行, 是菩萨行。'只如今行住坐卧, 应机接物, 尽是道。道即是法界, 乃至河沙妙用, 不出法界。若不然者, 云何言心地法门? 云何言无尽灯?"由此可以看到《维摩诘经》的思想对中国禅宗的深刻影响。

尔时文殊师利问维摩诘言："菩萨云何观于众生？"

维摩诘言："譬如幻师，见所幻人，菩萨观众生为若此。如智者见水中月，如镜中见其面像，如热时焰，如呼声响，如空中云，如水聚沫，如水上泡，如芭蕉坚，如电久住，如第五大，如第六阴，如第七情，如十三入，如十九界[1]，菩萨观众生为若此。如无色界色，如焦谷牙[2]，如须陀洹[3]身见，如阿那含[4]入胎，如阿罗汉三毒[5]，如得忍菩萨贪恚毁禁，如佛烦恼习，如盲者见色，如入灭尽定出入息，如空中鸟迹，如石女儿，如化人起烦恼，如梦所见已寤，如灭度者受身，如无烟之火，菩萨观众生为若此。"

文殊师利言："若菩萨作是观者，云何行慈？"

维摩诘言："菩萨作是观已，自念：'我当为众生说如斯法。'是即真实慈也。行寂灭慈，无所生故；行不热慈，无烦恼故；行等之慈，等三世故；行无诤慈，无所起故；行不二慈，内外不合故；行不坏慈，毕竟尽故；行坚固慈，心无毁故；行清净慈，诸法性净故；行无边慈，如虚空故；行阿罗汉慈，破结贼故；行菩萨慈，安众生故；行如来慈，得如相故；行佛之慈，觉众生故；行自然慈，无因得故；行菩提慈，等一味故；行无等慈，断诸爱故；行大悲慈，导以大乘故；行无厌慈，观空无我故；行法施慈，无遗惜故；行持戒慈，化毁禁故；行忍辱慈，护彼我故；行精进慈，荷负众生故；行禅定慈，不受味故；行智慧慈，无不知时故；行方便慈，一切示现故；行无隐慈，直心清净故；行深心慈，无杂行故；行无诳慈，不虚假故；行安乐慈，令得佛乐故。菩萨之慈，为若此也。"

文殊师利又问："何谓为悲？"

答曰:"菩萨所作功德,皆与一切众生共之。"

"何谓为喜?"

答曰:"有所饶益,欢喜无悔。"

"何谓为舍?"

答曰:"所作福祐,无所悕望。"

文殊师利又问:"生死有畏,菩萨当何所依?"

维摩诘言:"菩萨于生死畏中,当依如来功德之力。"

文殊师利又问:"菩萨欲依如来功德之力,当于何住?"

答曰:"菩萨欲依如来功德力者,当住度脱一切众生。"

又问:"欲度众生,当何所除?"

答曰:"欲度众生,除其烦恼。"

又问:"欲除烦恼,当何所行?"

答曰:"当行正念。"

又问:"云何行于正念?"

答曰:"当行不生不灭。"

又问:"何法不生?何法不灭?"

答曰:"不善不生,善法不灭。"

又问:"善不善孰为本?"

答曰:"身为本。"

又问:"身孰为本?"

答曰:"欲贪为本。"

又问:"欲贪孰为本?"

答曰:"虚妄分别为本。"

又问:"虚妄分别孰为本?"

答曰:"颠倒想为本。"

又问："颠倒想孰为本？"

答曰："无住为本。"

又问："无住孰为本？"

答曰："无住则无本。文殊师利！从无住本，立一切法。"

时维摩诘室有一天女，见诸大人闻所说法，便现其身，即以天华，散诸菩萨、大弟子上。华至诸菩萨，即皆堕落，至大弟子，便著不堕。一切弟子神力去华，不能令去。尔时天女问舍利弗："何故去华？"

答曰："此华不如法，是以去之。"

天曰："勿谓此华为不如法。所以者何？是华无所分别，仁者自生分别想耳！若于佛法出家，有所分别，为不如法；若无所分别，是则如法。观诸菩萨华不著者，已断一切分别想故。譬如人畏时，非人得其便；如是弟子畏生死故，色、声、香、味、触得其便也。已离畏者，一切五欲无能为也；结习未尽，华著身耳！结习尽者，华不著也。"[6]

舍利弗言："天止此室，其已久如？"

答曰："我止此室，如耆年解脱。"

舍利弗言："止此久耶？"

天曰："耆年解脱，亦何如久？"

舍利弗默然不答。天曰："如何耆旧大智而默？"

答曰："解脱者无所言说，故吾于是不知所云。"

天曰："言说文字，皆解脱相。所以者何？解脱者，不内、不外，不在两间，文字亦不内不外，不在两间。是故，舍利弗！无离文字说解脱也。所以者何？一切诸法是解脱相。"

舍利弗言："不复以离淫、怒、痴为解脱乎？"

天曰："佛为增上慢[7]人,说离淫、怒、痴为解脱耳;若无增上慢者,佛说淫、怒、痴性,即是解脱。"

舍利弗言："善哉,善哉!天女!汝何所得?以何为证?辩乃如是!"

天曰："我无得无证,故辩如是。所以者何?若有得有证者,即于佛法为增上慢。"(卷下《观众生品》)

【注释】

[1]如第五大,如第六阴,如第七情,如十三入,如十九界句:四大即地、水、火、风,无第五大,故又称第五大为空大;色受想行识为五阴,无第六阴;眼、耳、鼻、舌、身、意称为六根,又称"六情",无第七情;眼、耳、鼻、舌、身、意等六根加色、声、香、味、触、法等六尘,称为"十二入",无第十三入;十二入加上六识即眼识、耳识、鼻识、舌识、身识、意识,总称为十八界,无第十九界。这一句的意思是说:众生如空,一切无有。

[2]焦谷牙:烧焦的谷子不会生芽,以此喻世间无有之事,意同龟毛兔角。

[3]须陀洹:为声闻乘四果中最初之圣果,又称初果,即断尽"身见"之圣者所得之果位,故"须陀洹身见"亦属无有。

[4]阿那含:为声闻四果中第三果之圣者,意译为不还、不来、不来相,即不再投胎转世者。故"阿那含入胎"亦属无有。

[5]阿罗汉三毒:三毒指贪嗔痴。阿罗汉为声闻四果中第四果之圣者,已彻底断除三毒,故"阿罗汉三毒"亦属无有。

[6]此节经文意味甚深,对后世影响也很大。记述天女以天花洒向菩萨和大弟子的身上,花到诸菩萨身上,纷纷堕落;到

大弟子的身上，便粘着不堕。大弟子们运起种种神通去花，却始终不能去掉。天女问舍利弗为什么要去花，舍利弗说此花"不如法"。天女指出花的本身无所谓如法不如法，说它"不如法"，是"仁者自生分别想"，而诸菩萨已断了一切分别想，进入不二法门，所以花落到身上，不再粘着。声闻因烦恼结习未曾断尽，内心仍有污染，所以天花着身而不能去；菩萨结习已断，内心没有烦恼习气的污杂，外花就不再着身。皎然《答李季兰》："天女来相试，将花欲染衣。禅心竟不起，还捧旧花归。"即铺演此意，谓对于美好的事物、人物等不是回避而是接触，但接触而不染着，表现出大乘佛教修行者对于欲望的基本态度。

[7]增上慢：即对于教理或修行境地尚未有所得、有所悟，却起高傲自大之心。如经论中常举示的未得谓得、未获谓获、未触谓触、未证谓证等，均属修行人生起增上慢之例。此外，将他人与自己比较而产生自负高傲之心，亦称为增上慢，即通常所谓的"贡高我慢"。

《妙法莲华经》[1]（节选）

[后秦]鸠摩罗什 译

　　世尊！我等今者乐说譬喻以明斯义。[2]譬若有人，年既幼稚，舍父逃逝，久住他国，或十、二十，至五十岁，年既长大，加复穷困，驰骋四方以求衣食。渐渐游行，遇向本国。其父先来，求子不得，中止一城。其家大富，财宝无量——金、银、琉璃、珊瑚、虎珀、颇梨珠等，其诸仓库，悉皆盈溢；多有僮仆、臣佐、吏民；象马车乘，牛羊无数——出入息利，乃遍他国，商估贾客亦甚众多。时贫穷子游诸聚落，经历国邑，遂到其父所止之城。父母念子，与子离别五十余年，而未曾向人说如此事，但自思惟，心怀悔恨，自念老朽，多有财物，金银珍宝，仓库盈溢；无有子息，一旦终没，财物散失，无所委付。是以殷勤每忆其子，复作是念："我若得子，委付财物，坦然快乐，无复忧虑。"

　　世尊！尔时穷子佣赁展转，遇到父舍，住立门侧。遥见其父踞师子床，宝机承足，诸婆罗门、刹利、居士皆恭敬围绕，以真珠璎珞，价直千万，庄严其身；吏民、僮仆，手执白拂，侍立左右。覆以宝帐，垂诸华幡，香水洒地，散众名华，罗列宝物，出内取与，有如是等种种严饰，威德特尊。穷子见父有大力势，即怀恐怖，悔来至此。窃作是念："此或是王，或是王等，非我佣力得物之处。不如往至贫里，肆力有地，衣食易得。若久住此，或见逼迫，强使我作。"作是念已，疾走而去。[3]

　　时富长者于师子座，见子便识，心大欢喜，即作是念："我财物库藏,今有所付。我常思念此子,无由见之,而忽自来,甚适我愿。我虽年朽,犹故贪惜。"即遣傍人,急追将还。尔时使者,疾走往捉。穷子惊愕,称怨大唤:"我不相犯,何为见捉?"使者执之愈急,强牵将还。于时穷子,自念无罪,而被囚执,此必定死;转更惶怖,闷绝躄[4]地。父遥见之,而语使言:"不须此人,勿强将来。以冷水洒面,令得醒悟,莫复与语。"所以者何?父知其子志意下劣,自知豪贵为子所难,审知是子而以方便,不语他人云是我子。使者语之:"我今放汝,随意所趣。"穷子欢喜,得未曾有,从地而起,往至贫里、以求衣食。

尔时长者将欲诱引其子而设方便,密遣二人,形色憔悴无威德者:"汝可诣彼,徐语穷子:"此有作处,倍与汝直。"穷子若许,将来使作。若言:"欲何所作?"便可语之:"雇汝除粪。我等二人亦共汝作。"时二使人即求穷子,既已得之,具陈上事。

"尔时穷子先取其价,寻与除粪。其父见子,愍而怪之。又以他日,于窗牖中遥见子身,羸瘦憔悴,粪土尘坌,污秽不净。即脱璎珞、细软上服、严饰之具,更著粗弊垢腻之衣,尘土坌身,右手执持除粪之器,状有所畏。语诸作人:"汝等勤作,勿得懈息。"以方便故,得近其子。后复告言:"咄,男子!汝常此作,勿复余去,当加汝价。诸有所须瓮器米面盐醋之属,莫自疑难,亦有老弊使人须者相给,好自安意。我如汝父,勿复忧虑。所以者何?我年老大,而汝少壮,汝常作时,无有欺怠嗔恨怨言,都不见汝有此诸恶,如余作人。自今已后,如所生子。"即时长者、更与作字,名之为儿。尔时穷子虽欣此遇,犹故自谓客作贱人。由是之故,于二十年中常令除粪。过是已后,心相体信,入出无难,然其所止犹在本处。[5]

世尊，尔时长者有疾，自知将死不久。语穷子言："我今多有金银珍宝，仓库盈溢，其中多少、所应取与，汝悉知之。我心如是，当体此意。所以者何？今我与汝，便为不异，宜加用心，无令漏失。"尔时穷子，即受教敕，领知众物，金银珍宝及诸库藏，而无悕[6]取一餐之意。然其所止故在本处，下劣之心亦未能舍。复经少时，父知子意渐已通泰，成就大志，自鄙先心。临欲终时，而命其子并会亲族、国王、大臣、刹利、居士，皆悉已集，即自宣言："诸君当知！此是我子，我之所生。于某城中、舍吾逃走，伶俜[7]辛苦五十余年，其本字某。我名某甲，昔在本城怀忧推觅，忽于此间遇会得之。此实我子，我实其父。今我所有一切财物，皆是子有，先所出内，是子所知。"[8]

世尊！是时穷子闻父此言，即大欢喜，得未曾有，而作是念："我本无心有所希求，今此宝藏自然而至。"世尊！大富长者则是如来，我等皆似佛子，如来常说我等为子。世尊！我等以三苦故，于生死中受诸热恼，迷惑无知，乐著小法。今日世尊令我等思惟，蠲[9]除诸法戏论之粪，我等于中勤加精进，得至涅槃一日之价。既得此已，心大欢喜，自以为足，而便自谓："于佛法中勤精进故，所得弘多。"然世尊先知我等，心著弊欲，乐于小法，便见纵舍，不为分别："汝等当有如来知见宝藏之分。"世尊以方便力，说如来智慧。我等从佛，得涅槃一日之价，以为大得；于此大乘，无有志求。我等又因如来智慧，为诸菩萨开示演说，而自于此无有志愿。所以者何？佛知我等心乐小法，以方便力、随我等说；而我等不知真是佛子。今我等方知世尊，于佛智慧无所吝惜。所以者何？我等昔来真是佛子，而但乐小法，若我等有乐大之心，佛则为我说大乘法。于此经中唯说一乘，而昔于菩萨前,毁呰[10]声闻乐小法者,然佛实以大乘教化。是故我等,说本无心有所悕求。今法王大宝自然而至,如佛子所应得者皆已得之。"(《妙法莲华经》卷二《信解品》)

【注释】

[1]《妙法莲华经》,共七卷,鸠摩罗什译。略称《法华经》《妙法华经》。今收于大正藏第九册。为大乘佛教要典之一。共有二十八品。妙法,意为所说教法微妙无上;莲华经,比喻经典之洁白完美。本经采用诗、譬喻、象征等文学手法,以赞叹永恒之佛陀。称释迦成佛以来,寿命无限,现各种化身,以种种方便说微妙法;重点在弘扬"三乘归一",即声闻、缘觉、菩萨之三乘归于一佛乘,调和大小乘之各种说法,以为一切众生皆能成佛。

[2]《妙法莲华经》为了使众生明了最微妙的大乘佛理,采用种种譬喻说法,形成著名的"法华七喻",即:(1)火宅喻,喻三界之众生为五浊、八苦所逼迫,不得安稳,犹如大宅被火所烧,而不能安居。(2)穷子喻,谓流浪生死之众生犹如贫穷之子,而不知自己本为大富长者(如来)之子,本来是佛。(3)药草喻,喻三乘之人,根器虽有高下之别,若蒙如来法雨润泽,则能成大医王,普度群生。(4)化城喻,喻佛陀以方便之力,变化化城,令其先断见思烦恼,以为苏息,而后至于究竟之宝处即究竟大涅槃。(5)衣珠喻,喻二乘之人,皆有大乘之种,但为无明所覆,未能觉了,后由如来方便开示,乃得证大乘之果,利乐无穷。(6)髻珠喻,喻如来于法华会上开权显实,授记二乘而得作佛,犹如轮王解髻中之珠,以与功臣。(7)医子喻,喻三乘之人信受权教,不得正道,如来设各种方便,令服大乘法药,速除苦

恼,无复众患。这些比喻非常巧妙,理事圆融,使全经具有浓厚的文学色彩。本节所选为第二"穷子喻"。

[3]这一段比喻说明众生对于自己本来拥有无限宝藏不敢相信,而甘愿贫穷。

[4]躄(bì),扑倒。

[5]这一段文字比喻佛陀善巧方便,先以小乘权教教导众生,除粪即喻小乘佛法严守戒律、清净身心等种种法门。"勿强将来"即为佛法开导不可强迫。"以方便故,得近其子"即指如来以种种方便使众生亲近佛法,而不远离。在这一阶段,众生虽然也以佛为父,但仍"自谓客作贱人",仍有隔膜。

[6]悕(xī),意愿。

[7]伶(líng)俜(pīng):孤单漂泊之貌。

[8]这一段文字比喻如来至临涅槃之时,方开权显实,直示所有众生皆是如来亲子,所有众生皆具如来本有宝藏的大乘佛教宗旨。

[9]蠲(juān):除去,免除。

[10]呰(zǐ):同"訾",诋毁。这一节是说:小乘佛教与大乘佛教某些教理可能存在不一致之处,但这都是如来为了适应众生根基,善巧方便的说法,佛教的根本宗旨只是毫无差别的一乘法门,因此对各种方面不要相互诋毁。这样就从理论上弥合了大小乘佛教诸多宗派的不同教法,这一点正是《妙法莲华经》的核心思想。

诸比丘!若如来自知涅槃时到,众又清净、信解坚固、了达空法、深入禅定，便集诸菩萨及声闻众，为说是经。世间无有二乘而得灭度，唯一佛乘得灭度耳。比丘当知！如来方便，深入众生之性，知其志乐小法，深著五欲，为是等故说于涅槃。是人若闻，则便信受。

譬如五百由旬险难恶道，旷绝无人、怖畏之处。若有多众，欲过此道至珍宝处。有一导师，聪慧明达，善知险道通塞之相，将导众人欲过此难。所将人众，中路懈退，白导师言："我等疲极，而复怖畏，不能复进；前路犹远，今欲退还。"导师多诸方便，而作是念："此等可愍，云何舍大珍宝而欲退还？"作是念已，以方便力，于险道中，过三百由旬，化作一城，告众人言："汝等勿怖，莫得退还。今此大城，可于中止，随意所作。若入是城，快得安隐。若能前至宝所，亦可得去。"是时疲极之众，心大欢喜，叹未曾有："我等今者免斯恶道，快得安隐。"于是众人前入化城，生已度想、生安隐想。尔时导师，知此人众既得止息，无复疲倦。即灭化城，语众人言："汝等去来，宝处在近。向者大城，我所化作，为止息耳。"

诸比丘！如来亦复如是，今为汝等作大导师，知诸生死烦恼恶道险难长远，应去应度。若众生但闻一佛乘者，则不欲见佛，不欲亲近，便作是念："佛道长远，久受勤苦乃可得成。"佛知是心怯弱下劣，以方便力，而于中道为止息故，说二涅槃。[1]若众生住于二地，如来尔时即便为说："汝等所作未办，汝所住地，近于佛慧，当观察筹量所得涅槃非真实也。但是如来方便之力，于一佛乘分别说三。"如彼导师，为止息故，化作大城。既知息已，而告之言："宝处在近，此城非实，我化作耳。"（《**妙法莲华经**》卷三《**化城喻品**》）

【注释】

[1]本节为法华七喻之第四"化城喻"。二涅槃指有余涅槃和无余涅槃,前者为小乘佛教所说涅槃,在大乘佛教看来即指"化城",并非究竟,但可以获得止息,无复疲惓。后者才是大乘佛教的涅槃,为究竟圆满之境界。"化城"为俗谛的象征,它虽非真实存在,但自却有其价值和意义,因为它与众生的根基更为吻合,更能为众生所接受,它也能起到某种"休息"的作用,但是绝不能将它视为目的的,因为本质上它仍是虚幻的,并非真实的宝藏。假如停在这里不走了,那么"化城"的意义也就完全没有了。

《佛垂般涅槃略说教诫经》[1]（节选）

[后秦]鸠摩罗什 译

"汝等比丘,已能住戒,当制五根,勿令放逸,入于五欲。[2]譬如牧牛之人,执杖视之,不令纵逸,犯人苗稼;若纵五根,非唯五欲将无崖畔,不可制也,亦如恶马不以辔[3]制,将当牵人坠于坑陷。如被劫害,苦止一世,五根贼祸,殃及累世,为害甚重,不可不慎。是故智者制而不随,持之如贼,不令纵逸;假令纵之,皆亦不久见其磨灭。此五根者,心为其主。[4]是故汝等当好制心,心之可畏,甚于毒蛇、恶兽、怨贼、大火越逸[5],未足喻也,动转轻躁,但观于蜜,不见深坑,譬如狂象无钩,猿猴得树,腾跃跳踯,难可禁制,当急挫之,无令放逸。纵此心者,丧人善事,制之一处,无事不办。是故比丘,当勤精进,折伏其心。"[6]

"汝等比丘,受诸饮食,当如服药[7],于好于恶,勿生增减,趣得支身,以除饥渴。如蜂采花,但取其味,不损色香。比丘亦尔,受人供养,取自除恼,无得多求,坏其善心。譬如智者,筹量牛力所堪多少,不令过分以竭其力。"

"汝等比丘,昼则勤心修习善法,无令失时,初夜、后夜亦勿有废,中夜诵经以自消息,[8]无以睡眠因缘令一生空过,无所得也。当念无常之火,烧诸世间,早求自度,勿睡眠也。诸烦恼贼,常伺杀人,甚于怨家,安可睡眠,不自惊寤?烦恼毒蛇,睡在汝心,譬如黑蚖[9],在汝室睡,当以持戒之钩,早摒除之。睡蛇既出,乃可安眠,不出而眠,是无惭人也。惭耻之服,于诸庄严最

107

为第一,惭如铁钩,能制人非法。是故比丘,常当惭耻,无得暂替,若离惭耻,则失诸功德。有愧之人,则有善法;若无愧者,与诸禽兽无相异也。"

【注释】

[1]本经简称《遗教经》,收在《大正藏》第十二册。内容叙述释尊在拘尸那罗之沙罗双树间入涅槃前最后之垂教事迹,主要讲佛入灭后,当以波罗提木叉(即戒律)为本师,以制五根,离嗔恚、憍慢等,勉人不放逸,精进道业,理论上属于小乘佛教教法。

[2]五根指眼、耳、鼻、舌、身,为众生内心与外境接触之途径。五欲指染著色、声、香、味、触等五境所起之五种情欲,即色欲、声欲、香欲、味欲、触欲等,相当于众生所谓"本能"。另一种说法,五欲指财欲、色欲、饮食欲、名欲、睡眠欲。

[3]辔(pèi):缰绳。

[4]眼、耳、鼻、舌、身这五根是属从,最主要是心在作主,所谓"擒贼先擒王",如同捉贼,重要的是抓住其首领,因此制心是最重要的。

[5]越逸:逃窜。

[6]将心比喻为狂象、猿猴,应当用戒律的缰绳将其制住、使其折服,这样心就逐渐接近于道。

[7]饮食如同服用,只是为了治疗"饿疾"的一种权益方便,没有其他意义,佛教对于饮食的这种态度耐人玩味,佛门常以"药石"代表吃饭即是此意。

[8]初、中、后夜:古代印度将昼夜分为六时,即晨朝、日中、

日没(以上为昼三时)、初夜、中夜、后夜(以上为夜三时),每段为 4 个小时,佛典亦沿承其说。

[9]蚖(wán):蝮蛇,也称虺(huǐ)。佛典常将睡魔比喻为毒蛇,认为睡眠使人陷入昏沉、颠倒梦想,而佛教的宗旨即促使人觉悟,因此要尽可能减少睡眠时间,使心灵常处于清明状态。这种观念在中国佛教中影响很大,如宋代方逢振《示湖田庵僧》:"内热正坐饥火煎,睡蛇灭尽方安眠。"苏轼《午窗坐睡》:"睡蛇本亦无,何用钩与手?"但佛教并没有完全否定睡眠,而是说"睡蛇既出,乃可安眠",这里的"安眠"谓彻底的大休歇,即苏轼诗后半段所写:"谓我此为觉,物至了不受。谓我今方梦,此心初不垢。非梦亦非觉,请问希夷叟。"

《大智度论》[1]（节选）

[后秦]鸠摩罗什 译

有外道法,虽度众生,不如实度,何以故?种种邪见结使残故。二乘虽有所度,不如所应度,何以故?无一切智,方便心薄故。唯有菩萨能如实巧度。

譬如渡师,一人以浮囊草筏渡之,一人以方舟而渡,二渡之中相降悬殊;菩萨巧渡众生亦如是。复次,譬如治病,苦药针炙,痛而得差;如有妙药名苏陀扇陀[2],病人眼见,众病皆愈。除病虽同,优劣法异。声闻、菩萨教化度人亦复如是。苦行头陀,初、中、后夜,勤心坐禅,观苦而得道,声闻教也。观诸法相,无缚无解,心得清净,菩萨教也。如文殊师利本缘:

文殊师利白佛:"大德!昔我先世过无量阿僧祇劫[3],尔时有佛名师子音王,佛及众生寿十万亿那由他[4]岁,佛以三乘而度众生。国名千光明,其国中诸树皆七宝成,树出无量清净法音:空、无相、无作,不生不灭、无所有之音,众生闻之,心解得道。……尔时,有二菩萨比丘:一名喜根,二名胜意。是喜根法师,容仪质直,不舍世法,亦不分别善恶。喜根弟子聪明乐法,好闻深义;其师不赞少欲知足,不赞戒行头陀,但说诸法实相清净。语诸弟子:'一切诸法,淫欲相、嗔恚相、愚痴相,此诸法相,即是诸法实相,无所挂碍。'以是方便,教诸弟子入一相智。时诸弟子于诸人中无嗔无悔,心不悔故得生忍,得生忍故则得法忍,于实法中不动如山。"[5]

"胜意法师持戒清净,行十二头陀[6],得四禅、四无色定。胜意诸弟子钝根多求,分别是净是不净,心即动转。胜意异时,入聚落中,至喜根弟子家,于坐处坐;赞说持戒、少欲、知足,行头陀行,闲处禅寂,訾毁喜根言:'是人说法,教人入邪见中,是说淫欲、嗔恚、愚痴,无所挂碍相,是杂行人,非纯清净。'是弟子利根得法忍,问胜意言:'大德!是淫欲法,名何等相?'答言:'淫欲是烦恼相。'问言:'是淫欲烦恼,在内耶?在外耶?'答言:'是淫欲烦恼不在内,不在外;若在内,不应待外因缘生;若在外,于我无事,不应恼我。'居士言:'若淫欲非内、非外,非东、西、南、北、四维、上下来遍求,实相不可得,是法即不生不灭;若无生灭相,空无所有,云何能作恼?'"[7]

"胜意闻是语已,其心不悦,不能加答,从座而起,说如是言:'喜根多诳众人著邪道中。'是胜意菩萨未学音声陀罗尼[8],闻佛所说便欢喜,闻外道语便嗔恚;闻三不善则不欢悦,闻三善则大欢喜;闻说生死则忧,闻涅槃则喜。从居士家至林树间,入精舍中,语诸比丘:'当知喜根菩萨是人虚诳,多令人入恶邪中。何以故?其言淫、恚、痴相,及一切诸法皆无碍相。'"

"是时,喜根作是念:'此人大嗔,为恶业所覆,当堕大罪![9]我今当为说甚深法,虽今无所得,为作后世佛道因缘。'是时,喜根集僧,一心说偈:

淫欲即是道,恚痴亦如是;

如此三事中,无量诸佛道。

若有人分别,淫怒痴及道,

是人去佛远,譬如天与地。

道及淫怒痴,是一法平等;

若人闻怖畏，去佛道甚远。

淫法不生灭，不能令心恼，

若人计吾我，淫将入恶道。

见有无法异，是不离有无；

若知有无等，超胜成佛道。"

说如是等七十余偈，时三万诸天子得无生法忍[10]，万八千声闻人，不著一切法故皆得解脱。"

"是时，胜意菩萨身即陷入地狱，受无量千万亿岁苦。出生人中，七十四万世常被诽谤，无量劫中不闻佛名。是罪渐薄，得闻佛法，出家为道而复舍戒，如是六万三千世常舍戒；无量世中作沙门，虽不舍戒，诸根闇钝。是喜根菩萨于今东方过十万亿佛土作佛，其土号宝严，佛号光逾日明王。"

文殊师利言："尔时胜意比丘我身是也，我观尔时，受是无量苦。"[11]（《大智度论》卷六）

【注释】

[1]《大智度论》：凡一百卷，为印度龙树菩萨著，后秦鸠摩罗什译，收入《大正藏》第二十五册。系诠释《大品般若经》之论著，"大智度"为"摩诃般若波罗蜜"之意译。书中对佛教学说、思想、用例、传说、历史、地理、实践规定、僧伽之解说甚为详细，可谓为当时之佛教百科全书。全书贯穿着大乘佛教空宗的般若思想、真如思想、中道思想等，对后世佛教发展影响巨大。

[2]苏陀扇陀：良药名，传说病人眼见此药，各种疾病即得痊愈，以此喻般若能够度一切苦厄。

[3]阿僧祇劫：阿僧祇，梵语的译音，义译为无数。劫亦为梵

文音译，"劫波"的略称，意为极久远的时节。古印度传说世界经历若干万年毁灭一次，重新再开始，这样一个周期叫做一"劫"。"劫"的时间长短，佛经有各种不同的说法。一"劫"包括"成""住""坏""空"四个时期，叫做"四劫"。到"坏劫"时，有水、火、风三灾出现，世界归于毁灭。

[4]那由他：又称"那由多"，梵语之音译，意为"多到没有数目可以计算"。

[5]喜根比丘的教法即消除一切分别心，所谓"烦恼即是菩提，生死即是涅槃"，即不追求离开烦恼的菩提，离开生死的涅槃，这种思想成为后世中国佛教的主流，南宗禅"平常心即道"乃至现代的"人间佛教""生活禅"等思想，皆源于此。

[6]头陀：谓去除尘垢烦恼，苦行之一，意译为抖擞，意即对衣、食、住等弃其贪着，以修炼身心。十二头陀行包括在阿兰若处，即离世人居处而住于安静之所；常行乞食；受一食法，一日一食；但坐不卧等等。

[7]胜意比丘的教法则是分别善恶，赞叹善而排斥恶，尤其对于他们认为的"外道"更是刻意排斥。这种教法属于小乘佛教，乃至今日南传佛教皆承其说。本论将二人对比，显示着鲜明地站在大乘佛教立场上的态度。

[8]陀罗尼：梵语译音，意译为"总持"。谓持善法而不散，伏恶法而不起的力用。今多指咒，即秘密语。

[9]按照大乘佛教的观点，小乘佛教本来也是适应一部分众生的根基而设立，最终也会归于大乘佛教的一乘法门。因此大乘佛教并不排斥小乘佛教，但是小乘佛教却认为大乘佛教属于"外道"，采取强烈排斥态度，这种分别心并随之生起的嗔

恨心即是它最终会背离佛法的所在，因此能否如后面偈语说的：明了"一法平等"是最关键的，依照"平等"的思想，必然采取包容而非排斥的态度。这是这段经论的核心思想所在。

[10]无生法忍：谓观诸法无生无灭之理而谛认之，安住且不动心。《大智度论》卷五十谓："无生法忍者，于无生灭诸法实相中，信受通达，无碍不退，是名无生忍。"

[11]最后揭示：胜意比丘原来就是文殊师利菩萨的前身。可知经过无数劫的转世，经历地狱等种种痛苦的折磨，小乘比丘也最终会接受并成为大乘佛教的菩萨，这本身也是大乘佛教包容思想的体现。

问曰："身非但是苦性，亦从身有乐；若令无身，随意五欲，谁当受者？"

答曰：

四圣谛苦，圣人知实是苦，愚夫谓之为乐；圣实可依，愚惑宜弃。是身实苦，以止大苦故，以小苦为乐。譬如应死之人，得刑罚代命，甚大欢喜；罚实为苦，以代死故，谓之为乐。

复次，新苦为乐，故苦为苦：如初坐时乐，久则生苦；初行、立、卧亦乐，久亦为苦。屈申、俯仰，视眴、喘息，苦常随身；从初受胎，出生至死，无有乐时。

若汝以受淫欲为乐，淫病重故，求外女色，得之愈多，患至愈重。如患疥病，向火揩炙，当时小乐，大痛转深；如是小乐，亦是病因缘故有，非是实乐，无病观之，为生慈愍。离欲之人观淫欲者，亦复如是，愍此狂惑为欲火所烧，多受多苦。

如是等种种因缘，知身苦相、苦因。行者知身，但是不净、无常、苦物，不得已而养育之；譬如父母生子，子复弊暴，以从

114

己生故,要当养育成就。身实无我,何以故?不自在故。譬如病风之人,不能俯仰行来;病咽塞者,不能语言。以是故,知身不自在。如人有物,随意取用;身不得尔,不自在故,审知无我。

行者思惟是身,如是不净、无常、苦、空、无我,有如是等无量过恶。如是等种种观身,是名身念处。

得是身念处观已,复思惟众生以何因缘故贪著此身?乐受故。所以者何?

从内六情、外六尘和合故,生六种识。六种识中生三种受:苦受、乐受、不苦不乐受。是乐受一切众生所欲,苦受一切众生所不欲,不苦不乐受不取、不弃。如说:

若作恶人及出家,诸天世人及蠕动,

一切十方五道中,无不好乐而恶苦。

狂惑颠倒无智故,不知涅槃常乐处!

行者观是乐受,以实知之,无有乐也,但有众苦。何以故?乐名实乐,无有颠倒。一切世间乐受,皆从颠倒生,无有实者。[1]

(《大智度论》卷十九)

【注释】

[1]这一节用种种譬喻阐发佛法"四谛"中的"苦谛",指出众生贪以为乐的事,本质上皆苦。比如一个人站久了就会觉得苦,这时能坐着便是"乐",但坐久了又成为苦,这时站着又成为"乐"。又指出身实为苦本,是不得已而养育之的,譬如父母生了一个不孝之子,因为是自己所生,也只能不得已而养育之,如此而已。身的种种不得自在,证明身非我所有。种种苦乐的感受都是"颠倒生",只有涅槃之境是绝对的乐。

《大般涅槃经》[1]（节选）

[北凉]昙无谶[2] 译

　　"迦叶，世间众生颠倒覆心，贪著生相，厌患老死。迦叶，菩萨不尔，观其初生，已见过患。[3]迦叶，如有女人，入于他舍，是女端正，颜貌瑰丽，以好璎珞，庄严其身。主人见已，即便问言："汝字何等？系属于谁？"女人答言："我身即是功德大天。"主人问言："汝所至处，为何所作？"女人答言："我所至处，能与种种金银、琉璃、颇梨、真珠、珊瑚、虎珀、砗磲、马瑙、象马、车乘、奴婢、仆使。"主人闻已，心生欢喜，踊跃无量。"我今福德，故令汝来至我舍宅。"即便烧香、散花，供养，恭敬礼拜。复于门外更见一女，其形丑陋，衣裳弊坏，多诸垢腻，皮肤皴裂，其色艾白。见已问言："汝字何等？系属谁家？"女人答言："我字黑闇。"复问："何故名为黑闇？"女人答言："我所行处，能令其家所有财宝，一切衰耗。"主人闻已，即持利刀，作如是言："汝若不去，当断汝命。"女人答言："汝甚愚痴，无有智慧！"主人问言："何故名我痴无智慧？"女人答言："汝舍中者，即是我姊。我常与姊，进止共俱。汝若驱我，亦当驱彼。"主人还入，问功德天："外有一女，云是汝妹，实为是不？"功德天言："实是我妹。我与此妹，行住共俱，未曾相离。随所住处，我常作好，彼常作恶。我常利益，彼常作衰。若爱我者，亦应爱彼。若见恭敬，亦应敬彼。"主人即言："若有如是好恶事者，我俱不用，各随意去。"是时二女，俱共相将，还其所止。尔时主人见其还去，心生欢喜，踊跃无量。是时二女,复共相随,至一贫家。贫人见已,心生欢喜,即请之言:"从今已去,愿汝二人,常住我家。"功德天言:"我等先以为他所驱,汝复何缘,俱请我住?"贫人答言:"汝今念我,我以汝故,复当敬彼,是故俱请,令住我家。"迦叶,菩萨摩诃萨亦复如是,不愿生天,以生当有老、病、死故,是以俱弃,曾无爱心。凡夫愚人,不知老、病、死等过患,是故贪受生死二法。(卷十二《圣行品》节选)

【注释】

[1]《大般涅槃经》:凡四十卷,北凉昙无谶译。又作《大涅槃经》《涅槃经》等,收入《大正藏》第十二册。系宣说如来常住、众生悉有佛性、阐提成佛等之根本教义,属大乘涅槃经。本经由昙无谶译出后,传于南方宋地,经慧严、慧观、谢灵运等人,对照法显所译之六卷《泥洹经》,增加品数,重修而成二十五品三十六卷,称之为南本《涅槃经》,而将昙无谶译本称为北本《涅槃经》。

[2]昙无谶(385~433):东晋僧人。为中印度人,幼年出家,初学小乘佛教,后改学大乘,主要在西域一带游学。翻译《大般涅槃经》40卷、《大方等大集经》29卷、《菩萨地持经》8卷、《金光明经》4卷、《优婆塞戒经》7卷等。其翻译的《大般涅槃经》中"一切众生悉有佛性"之说,对中国佛教思想的发展影响很大。

[3]这一节经文用一个精妙的比喻说明:生老病死如同两个一美一丑的孪生姐妹一样,是相伴而行、"进止共俱"的,不可能将其分开。有生必有死,有美必有丑,有善必有恶等等……莫不如是。如果不想要后者,那么也要将前者舍去,

这就是"观其初生,已见过患",也即所谓"众生畏果,菩萨畏因"。两者皆舍,"我俱不用",才是真正的大解脱、大智慧,亦即涅槃境界。

师子吼菩萨言:"世尊,若一切业不定得果,一切众生悉有佛性,应当修习八圣道者,何因缘故,一切众生悉不得是大般涅槃?世尊,若一切众生有佛性者,即当定得阿耨多罗三藐三菩提[1],何须修习八圣道[2]耶?世尊,如此经中,说有病人若得医药,及瞻病人,随病饮食,若使不得皆悉除差,一切众生亦复如是。若遇声闻及辟支佛,诸佛菩萨、诸善知识,若闻说法,修习圣道,若不遇不闻不修习道,悉当得成阿耨多罗三藐三菩提,何以故?以佛性故。世尊,譬如日月,无有能遮,令不得至颇多山边,四大河水不至大海,一阐提[3]等不至地狱。一切众生亦复如是,无有能遮,令不得至阿耨多罗三藐三菩提。何以故?以佛性故。世尊,以是义故,一切众生不须修道,以佛性力故,应得阿耨多罗三藐三菩提,不以修习圣道力故。世尊,若一阐提犯四重禁、五逆罪[4]等,不得阿耨多罗三藐三菩提者,应须修习,以因佛性定当得故,非因修习然后得也。世尊,譬如磁石,去铁虽远,以其力故,铁则随著,众生佛性亦复如是,是故不须勤修习道。"[5]

佛言:"善哉善哉!善男子,如恒河边有七种人,若为洗浴、恐畏寇贼,或为采花,则入河中。第一人者,入水则沈,何以故?羸无势力,不习浮故。第二人者,虽没还出,出已复没,何以故?身力大故,则能还出,不习浮故,出已还没。第三人者,没已即出,出更不没,何以故?身重故没,力大故出,先习浮故,出已即住。第四人者,入已便没,没已还出,出已即住,遍观四方,何以

118

故？重故则沈，力大故还出，习浮则住，不知出处，故观四方。第五人者，入已即沉，沉已便出，出已即住，住已观方，观已即去，何以故？为怖畏故。第六人者，入已即去，浅处则住，何以故？观贼近远故。第七人者，既至彼岸，登上大山，无复恐怖，离诸怨贼，受大快乐。"[6]

　　"善男子，生死大河，亦复如是。有七种人，畏烦恼贼故，发意欲渡生死大河，出家剃发，身被法服。既出家已，亲近恶友，随顺其教，听受邪法：所谓众生身者，即是五荫[7]，五荫者，即名五大，众生若死，永断五大。断五大故，何须修习善恶诸业？是故当知，无有善恶及善恶报，如是则名一阐提也。一阐提者，名断善根。断善根故，没生死河不能得出。何以故？恶业重故，无信力故，如恒河边第一人也。……第二人者，发意欲渡生死大河，断善根故，没不能出。所言出者，亲近善友，则得信心，是信心者，信施施果，信善善果，信恶恶果，信生死苦、无常败坏，是名为信。以得信心，修习净戒，受持读诵，书写解说，常乐惠施，善修智慧。以钝根故，复遇恶友，不能修习身戒心慧，听受邪法，或值恶时，处恶国土，断诸善根，断善根故，常没生死，如恒河边第二人也。[8]第三人者，发意欲渡生死大河，断善根故，于中沉没，亲近善友，得名为出，信于如来，是一切智，常恒无变，为众生故说无上道。一切众生悉有佛性，如来非灭，法僧亦尔，无有灭坏，一阐提等不断其法，终不能得阿耨多罗三藐三菩提，要当远离，然后乃得。以信心故，修习净戒，修习戒已，受持、读诵、书写、解说十二部经[9]，为诸众生广宣流布，乐于惠施，修习智慧。以利根故，坚住信慧，心无退转，如恒河边第三人也。第四人者，发意欲渡生死大河，断善根故，于中沉没，亲近善友,故得信心,是名为出。得信心故,受持、读诵、书写、解说十二部经,为众生故,广宣流布,乐于惠施,修习智慧。以利根故,坚住信慧,心无退转,遍观四方。观四方者,四沙门果,如恒河边第四人也。第五人者,发意欲渡生死大河,断善根故,于中沉没,亲近善友,故得信心,是名为出。以信心故,受持、读诵、书写、解说十二部经,为众生故,广宣流布,乐于慧施,修习智慧。以利根故,坚住信慧,心无退转,无退转已,即便前进,前进者谓辟支佛,虽能自渡,不及众生,是名为去,如恒河边第五人也。第六人者,发意欲渡生死大河,断善根故,于中沉没,亲近善友,获得信心,得信心故,名之为出,以信心故,受持、读诵、书写、解说十二部经,为众生故,广宣流布,乐于惠施,修习智慧。以利根故,坚住信慧,心无退转,无退转已,即复前进,遂到浅处,到浅处已,即住不去,住不去者,所谓菩萨,为欲度脱诸众生故,住观烦恼,如恒河边第六人也。第七人者,发意欲渡生死大河,断善根故,于中沉没,亲近善友,获得信心,得信心已,是名为出,以信心故,受持、读诵、书写、解说十二部经,为众生故,广宣流布,乐于惠施,修习智慧,以利根故,坚住信慧心无退转,无退转已,即便前进,既前进已,得到彼岸,登大高山,离诸恐怖,多受安乐。善男子,彼岸山者,喻于如来,受安乐者,喻佛常住,大高山者,喻大涅槃。"

"善男子,是恒河边如是诸人,悉具手足,而不能渡,一切众生亦复如是。实有佛宝、法宝、僧宝,如来常说诸法要义,有八圣道、大般涅槃,而诸众生悉不能得,此非我咎,亦非圣道、众生等过,当知悉是烦恼过恶,以是义故,一切众生不得涅槃。善男子。譬如良医知病说药。病者不服非医咎也。善男子。如

120

有施主以其所有施一切人。有不受者非施主咎。善男子，譬如日出，幽冥皆明，盲瞽之人不见道路，非日过也。善男子，如恒河水，能除渴乏，渴者不饮，非水咎也。善男子，譬如大地，普生果实，平等无二，农夫不种，非地过也。善男子，如来普为一切众生，广开分别十二部经，众生不受，非如来咎。善男子，若修道者，即得阿耨多罗三藐三菩提。善男子，汝言众生悉有佛性，应得阿耨多罗三藐三菩提，如磁石者，善哉善哉！以有佛性因缘力故，得阿耨多罗三藐三菩提，若言不须修圣道者，是义不然。善男子，譬如有人行于旷野，渴乏遇井，其井幽深，虽不见水，当知必有。是人方便，求觅罐绠，汲取则见。佛性亦尔，一切众生，虽复有之，要须修习无漏圣道，然后得见。善男子，如有胡麻，则得见油，离诸方便，则不得见，甘蔗亦尔。善男子，如三十三天、北郁单越，虽是有法，若无善业、神通道力则不能见。地中草根及地下水，以地覆故，众生不见。佛性亦尔，不修圣道，故不得见。善男子，如汝所说，世有病人，若遇瞻病，良医好药，随病饮食，及以不遇，悉得差者。善男子，我为六住诸菩萨等说如是义。善男子，譬如虚空，于诸众生，非内非外，非内外故，亦无挂碍，众生佛性亦复如是。善男子，譬如有人，财在异方，虽不现前，随意受用，有人问之，则言我许。何以故？以定有故，众生佛性亦复如是。非此非彼，以定得故，言一切有。善男子，譬如众生，造作诸业，若善若恶，非内非外，如是业性，非有非无，亦复非是，本无今有，非无因出，非此作此受，此作彼受，彼作彼受，无作无受，时节和合，而得果报，众生佛性亦复如是，亦复非是本无今有，非内非外，非有非无，非此非彼，非余处来，非无因缘，亦非一切众生不见，有诸菩萨时节因缘和合，

121

得见时节者,所谓十住菩萨摩诃萨,修八圣道,于诸众生,得平等心,尔时得见,不名为作。"[10]

"善男子,若言佛性住众生中者,善男子,常法无住,若有住处,即是无常。善男子,如十二因缘无定住处,若有住处,十二因缘不得名常。如来法身亦无住处,法界、法入、法阴、虚空,悉无住处,佛性亦尔,都无住处。善男子,譬如四大,力虽均等,有坚、有热、有湿、有动,有重、有轻、有赤、有白、有黄、有黑,而是四大,亦无有业,异法界故,各不相似。佛性亦尔,异法界故,时至则现。善男子,一切众生不退佛性故,名之为有。阿毗跋致[11]故,以当有故,决定得故,定当见故,是故名为一切众生悉有佛性。善男子,譬如有王,告一大臣:'汝牵一象,以示盲者。'尔时大臣,受王敕已,多集众盲,以象示之。时彼众盲,各以手触,大臣即还,而白王言:'臣已示竟。'尔时大王,即唤众盲,各各问言:'汝见象耶?'众盲各言:'我已得见。'王言:'象为何类?'其触牙者,即言象形如芦菔根;其触耳者,言象如箕;其触头者,言象如石;其触鼻者,言象如杵;其触脚者,言象如木臼;其触脊者,言象如床;其触腹者,言象如瓮;其触尾者,言象如绳。善男子,如彼众盲,不说象体,亦非不说,若是众相悉非象者,离是之外,更无别象。善男子,王喻如来正遍知也,臣喻方等《大涅槃经》,象喻佛性,盲喻一切无明众生。……善男子,佛性不可思议,佛法僧宝亦不可思议,一切众生悉有佛性而不能知,是亦不可思议,如来常乐我净之法,亦不可思议,一切众生能信如是《大涅槃经》亦不可思议。"[12]

师子吼菩萨言:"世尊,如佛所说一切众生能信如是《大涅槃经》不可思议者,世尊,是大众中有八万五千亿人,于是经中不生信心，是故有能信是经者，名不可思议。善男子，如是诸人，于未来世，亦当定得信是经典，见于佛性，得阿耨多罗三藐三菩提。"(卷三十二《师子吼菩萨品》节选)

【注释】

[1]阿耨多罗三藐三菩提：意译无上正等正觉、无上正遍知，乃佛陀所觉悟之智慧，含有平等、圆满之意。以其所悟之道为至高，故称无上；以其道周遍而无所不包，故称正遍知。大乘菩萨行之全部内容，即在成就此种觉悟。

[2]八圣道：又称"八正道"，最能代表佛教之实践法门，即八种通向涅槃解脱之正确方法或途径，包括正见、正思惟、正语、正业、正命、正精进、正念、正定。

[3]一阐提：梵语音译，意译为"不具信"，或称"断善根"。佛教用以称呼不具信心、断了成佛善根的人。根据本经，那种认为人死如灯灭，没有善恶果报的认识即为一阐提。

[4]四重禁：又称四重禁戒、四重罪、四波罗夷罪。即：(一)杀生(二)偷盗(三)邪淫(四)妄语。五逆罪指罪大恶极，极逆于理的五种重罪，包括：(一)害母(二)害父(三)害阿罗汉(四)出佛身血(五)破坏僧团。

[5]这一节文字借狮子吼菩萨之口，提出疑问：既然众生皆有佛性，那么理当成就阿耨多罗三藐三菩提，为什么还需要修行呢？下面的文字，佛陀用种种善巧比喻来解释这些疑问。

[6]本段列举七种入水之人为比喻，说明众生根基不同，因此结果也不同，下一段即说众生面对"生死大河"，亦复如是，与上一节文字一一对应。

[7]五荫:又作"五阴""五蕴",即色、受、想、行、识。有人认为人死则五蕴永断,故没有善恶及善恶果报,这便是一阐提人的见解,如恒河边上的第一类人。

[8]第二类人即世俗常人,他们也有一定善根,但受环境影响,善恶皆为,故长劫出没于生死苦海中,不能出离。再以下的五种人,则为自小乘佛教乃至佛的不同修道境界,一一皆用比喻说明。

[9]十二部经:又作十二分教、十二分经,指全部佛教经典,包括契经、应颂、记别、讽颂、自说、因缘、譬喻、本事、本生等各种类别的经典。

[10]这一节文字,连用十几个比喻,说明佛性与众生之间的关系。佛性虽有,但如果不修行,便不能显现的道理。这种"博喻"的方式是大乘佛教经典中经常出现的,之所以不用一个比喻而连用多喻,一是为了将道理说得更明白,二是为了防止众生因一喻而产生文字上的执著。

[11]阿毗跋致:意译为"不退转",即功德善根不再退失之意。这里是说,众生的佛性尽管有时不能显现,但永远不会失去。

[12]这一节即著名的"盲人摸象"故事,用来说明:尽管众生见不到自身的佛性(象体),但他们也没有离开自身的佛性。"盲人摸象"的譬喻具有极为深厚的内涵,比如它说明:真理只有一个,将所有盲人的全部见解综合起来,也就是完整的大象。故大乘佛教不排斥任何思想,因为所有思想见解都是象体的一部分。但盲人们各执所见,互相攻击,此即人类社会各种争端之所由。这也显示着大乘佛教因为证得"如来正遍知",因此对一切道理都能够清晰明了地觉察而没有偏颇。

《金光明经》[1]（节选）

[北凉]昙无谶 译

佛告树神："尔时流水长者子，于天自在光王国内，治一切众生无量苦患已，令其身体平复如本，受诸快乐；以病除故多设福业，修行布施，尊重恭敬是长者子，作如是言：'善哉长者！能大增长福德之事，能益众生无量寿命，汝今真是大医之王，善治众生无量重病，必是菩萨善解方药。'"

"善女天！时长者子，有妻名曰水空龙藏，而生二子：一名水空，二名水藏。时长者子将是二子，次第游行城邑聚落，最后到一大空泽中，见诸虎狼狐犬鸟兽多食肉血，悉皆一向驰奔而去。时长者子作是念言：'是诸禽兽何因缘故一向驰走？我当随后逐而观之。'"

"时长者子遂便随逐，见有一池其水枯涸，于其池中多有诸鱼，时长者子见是鱼已，生大悲心。时有树神示现半身，作如是言：'善哉，善哉！大善男子。此鱼可愍，汝可与水，是故号汝名为流水。复有二缘名为流水：一能流水，二能与水。汝今应当随名定实。'时长者子问树神言：'此鱼头数为有几所？'树神答言：'其数具足足满十千。'"

"善女天！尔时流水闻是数已，倍复增益生大悲心。善女天！时此空池为日所曝，唯少水在，是十千鱼将入死门，四向宛转，见是长者心生恃赖，随是长者所至方面，随逐瞻视，目未曾舍。是时长者驰趣四方，推求索水了不能得，便四顾望，见有大树寻取枝叶，还到池上与作阴凉。作阴凉已，复更推求是池中水本从何来？即出四向周遍求觅，莫知水处，复更疾走远至余处，见一大河名曰水生。尔时复有诸余恶人，为捕此鱼故，于上流悬险之处，决弃其水，不令下过；然其决处悬险难补，计当修治经九十日，百千人功犹不能成，况我一身？"

"时长者子，速疾还反至大王所，头面礼拜却住一面，合掌向王说其因缘，作如是言：'我为大王国土人民治种种病，渐渐游行至彼空泽，见有一池其水枯涸，有十千鱼为日所曝，今日困厄将死不久。惟愿大王，借二十大象，令得负水济彼鱼命，如我与诸病人寿命。'尔时大王即敕大臣，速疾供给。尔时大臣奉王告敕，语是长者：'善哉大士！汝今自可至象厩中随意选取，利益众生令得快乐。'"

"是时流水及其二子，将二十大象，从治城人借索皮囊，疾至彼河上流决处，盛水象负，驰疾奔还至空泽池，从象背上下其囊水，写置池中，水遂弥满还复如本。时长者子，于池四边彷徉而行，是鱼尔时亦复随逐循岸而行。时长者子，复作是念：'是鱼何缘随我而行？是鱼必为饥火所恼，复欲从我求索饮食，我今当与。'"

"善女天！尔时流水长者子，告其子言：'汝取一象最大力者，速至家中启父长者：家中所有可食之物，乃至父母饮啖之分，及以妻子奴婢之分，一切聚集悉载象上急速来还。'尔时二子如父教敕，乘最大象往至家中，白其祖父说如上事。"

"尔时二子，收取家中可食之物，载象背上，疾还父所至空泽池。时长者子见其子还，心生欢喜，踊跃无量，从子边取饮食之物散著池中，与鱼食已，即自思惟：'我今已能与此鱼食令其饱满，未来之世当施法食。'复更思惟：'曾闻过去空闲之处有一比丘，读诵大乘方等经典，其经中说，若有众生临命终时，得闻宝胜如来名号即生天上，我今当为是十千鱼解说甚深十二因缘,亦当称说宝胜佛名。'"

"时阎浮提[2]中有二种人：一者深信大乘方等，二者毁訾不生信乐。时长者子作是思惟：'我今当入池水之中，为是诸鱼说深妙法。'思惟是已，即便入水，作如是言：'南无过去宝胜如来、应供、正遍知、明行足、善逝、世间解、无上士、调御丈夫、天人师、佛世尊。宝胜如来本往昔时，行菩萨道作是誓愿：若有众生，于十方界临命终时闻我名者，当令是辈即命终已，寻得上生三十三天。'尔时流水复为是鱼，解说如是甚深妙法——所谓无明缘行，行缘识，识缘名色，名色缘六入，六入缘触，触缘受，受缘爱，爱缘取，取缘有，有缘生，生缘老死忧悲苦恼。"

"善女天！尔时流水长者子及其二子，说是法已即共还家。是长者子复于后时，宾客聚会，醉酒而卧。尔时其地卒大震动，时十千鱼同日命终，既命终已生忉利天。既生天已作是思惟：'我等以何善业因缘，得生于此忉利天中？'复相谓言：'我等先于阎浮提内，堕畜生中受于鱼身，流水长者子，与我等水及以饮食，复为我等解说甚深十二因缘，并称宝胜如来名号，以是因缘令我等辈得生此天。是故我等今当往至长者子所报恩供养。'"

……

"尔时流水，寻遣其子至彼池所，看是诸鱼死活定实。尔时其子闻是语已，向于彼池既至池已，见其池中多有摩诃曼陀罗华，积聚成廿积，其中诸鱼悉皆命终。见已即还白其父言：'彼诸鱼等悉已命终。'尔时流水知是事已,复至王所作如是言:'是十千鱼悉皆命终。'王闻是已,心生欢喜。"[3](卷四《流水长者子品》)

【注释】

[1]《金光明经》有真谛、耶舍崛多、昙无谶以及唐代义净等多种译本。此经以显示佛教"俗谛"为主,具有天神信仰的倾向,比广说诸天护世、增财、益辨、除灾、除病等种种法门,与《法华经》《仁王经》同为镇护国家之三部经。

[2]阎浮提:梵语音译,又称南赡部洲。阎浮,树名。提为"提鞞波"之略,义译为洲。洲上阎浮树最多,故称阎浮提,一般多指人世间。

[3]《金光明经·流水长者子品》叙述佛陀前生菩萨行之一。释迦牟尼前身流水长者子见一水池枯涸,池中之鱼即将亡命而生起大慈悲之心,与流水长者等一起运水、施食,又使它们闻听佛名、佛法,最后池中之鱼同日命终,生于忉利天宫,享受快乐。这一品的内容含有护生思想,对于其后中国社会尊生、护生、开设放生池等观念的形成产生了重要影响。

《佛说五无返复经》[1]

[南朝宋]沮渠京声[2] 译

闻如是，一时佛在舍卫国祇树精舍，与千二百五十比丘俱。时有一梵志，在罗阅只国，闻舍卫人多慈孝顺，奉经修道，供事三尊，便到舍卫国。

见父子二人耕地，毒蛇啮杀其子，父故耕，不视其子，亦不啼哭。梵志问曰："此儿谁子？"耕者答言："是我之子。"梵志曰："是卿子者，何不啼哭，而耕如故？"其人答曰："人生有死，物成有败，善者有报，恶者有对。愁忧啼哭，何所追逮。设不饮食，何益死者？卿今入城，我家在某处，愿过语之：吾子已死，不须持二人食来。"梵志自念：此人无返复，儿死在地，情不愁忧，而反索食，此人不慈，无有比类。

梵志便行，入城诣[3]耕者家。见死儿母，即便语之："卿儿已死，父言但持一人食来，何以不念子耶？"儿母遂为梵志说譬喻言："子者如客，来依人止。来亦不却，去亦不留。此儿本我，亦不唤来，自来过我，生死亦自去，非我力乃使进退，随其本行，追命所生。"

又语其姊："卿弟已死，何不啼哭？"姊即向梵志说喻言："我等兄弟，譬如工师，入山斫林，缚作大筏，安置水中。卒逢大风，吹破筏散，随水流去，前后分张，不相顾望。我弟亦尔，如是宿命因缘，一时共合会，在一家生，随命长短，生死无常，合会有离。我弟命尽，各自随行，无常对至，随其本行，不能相救。"

又语死者妇："卿夫已死,何不啼哭?"妇复为梵志说喻言："我等夫妇,因缘共会,须臾间已。譬如飞鸟,暮栖高树,同共止宿,向明早起,各自飞去,行求饮食。有缘则合,无缘则离,我等夫妇,亦复如是。去住进止,非我之力,无常对至,随其本命,不能相救。"

又语其奴："汝大家儿死,何不啼哭?"奴复说喻:"我之大家,因缘合会。我如犊子,随逐大牛。人杀大牛,犊子在边,不能救大牛。无常之命,不可得救,奈何愁忧啼哭,亦无所益。"

梵志闻之,心惑目瞑,不识东西:我闻此国人,孝顺奉道,供事三尊,故从远来,欲得学问。未有善应,而见五无返复人,劳身苦心,远来至此,了无所益。又问行人:"佛在何许?欲往问之。"行人答曰:"近在祇洹精舍。"

梵志即往到佛所,稽首佛足作礼,却坐一面,愁忧低头,默无所说。佛知其意,谓梵志曰:"何为低头,愁忧不乐?"梵志白佛言:"所愿不果,违我本心,是故愁忧也。"佛问曰:"有何所失,愁忧不乐?"梵志白佛言:"我从罗阅只国来,闻此国人孝顺,奉敬三尊,故从远来,欲得学问。既来到此,见五无返复人,是故愁忧不乐。"佛言:"何谓无返复者?"梵志白佛言:"我见父子二人,耕地下种,子死在地,父亦不愁,反更索食,而反向我说无常事。母妇及姊与奴,都无愁忧,是为大逆无返复也。"

佛言:"不然!不如卿语。此之五人,最有返复。知命无常,非愁忧所逮,往古圣不免斯患,况于凡夫?大啼小哭,何益死者?世间俗人,无数劫来,流转生死,迁神不灭,死而复生,如车轮转,无有休息,背死向生,非忧愁所逮。"[4]

梵志闻之,心开意解,更有忧戚:我闻佛说,如病得愈,如盲得视,如闇遇明。于是梵志,即得道迹,一切死亡,不足啼哭。欲为亡者,请佛及僧,烧香供养,读诵经典。能日日作礼,复志心供养三宝,最是为要。于是梵志,稽首作礼,受教而去。

【注释】

[1]《佛说五无返复经》:亦称《五无反复大义经》,南朝宋沮渠京声译,一卷。记述一名梵志到舍卫国,见一人被毒蛇咬死,其父、母、姐、妻、奴毫无悲戚之意,十分疑惑,往诣释迦牟尼,佛为其解答生命真相之理,宣传了佛教生死无常思想,显示出佛教对生死的超然态度。

[2]沮渠京声(?~464):北凉王沮渠蒙逊之从弟,匈奴人,封安阳侯。强识疏通,涉猎群书,信仰佛教。宋元嘉十六年(439),魏并凉州,乃南奔入宋,翻译《禅要秘密治病经》《八关斋经》等多种佛教经典。

[3]诣:到。

[4]本经所写一家人的言行表面上看似乎"不近人情"、不可理喻,梵志的看法也即代表一般人的观点。但从众生多生多劫生死轮回的情状看,佛陀所说的道理谁又能够否认?家中人死了啼哭又有什么意义呢?佛教主张看破生死的本质,将众生执迷的"人情"放下,也就意味着从根本上超越生死。本经一再讲是"说譬喻言",显然是将众生看不透的道理用一个浅显的故事表达出来。

《佛说观无量寿佛经》[1]（节选）

[南朝宋]疆良耶舍[2] 译

　　佛告韦提希[3]："汝及众生应当专心，系念一处，想于西方。云何作想？凡作想者，一切众生自非生盲，有目之徒，皆见日没。当起想念，正坐西向，谛观于日，令心坚住，专想不移。见日欲没，状如悬鼓。既见日已，闭目开目皆令明了。是为日想，名曰初观。作是观者，名为正观。若他观者，名为邪观。"

　　佛告阿难及韦提希："初观成已，次作水想。想见西方一切皆是大水，见水澄清，亦令明了，无分散意。既见水已，当起冰想。见冰映彻，作琉璃想。此想成已，见琉璃地，内外映彻。下有金刚七宝金幢，擎琉璃地。其幢八方，八楞具足，一一方面，百宝所成，一一宝珠，有千光明，一光明，八万四千色，映琉璃地，如亿千日，不可具见。琉璃地上，以黄金绳，杂厕间错，以七宝界，分齐分明，一一宝中，有五百色光。其光如花，又似星月，悬处虚空，成光明台。楼阁千万，百宝合成，于台两边，各有百亿花幢，无量乐器，以为庄严。八种清风从光明出，鼓此乐器，演说苦、空、无常、无我之音，是为水想，名第二观。此想成时，一一观之，极令了了。闭目开目，不令散失，唯除食时，恒忆此事。作此观者，名为正观。若他观者，名为邪观。"

　　佛告阿难及韦提希："水想成已，名为粗见极乐国地。若得三昧，见彼国地，了了分明，不可具说。是为地想，名第三观。"

　　佛告阿难："汝持佛语，为未来世一切大众欲脱苦者，说是观地法。若观是地者,除八十亿劫生死之罪。舍身他世,必生净国,心得无疑。作是观者,名为正观。若他观者,名为邪观。"

佛告阿难及韦提希:"地想成已,次观宝树。观宝树者,一一观之,作七重行树想。一一树高八千由旬,其诸宝树,七宝花叶无不具足。一一华叶,作异宝色。琉璃色中出金色光;颇梨色中出红色光;马脑色中出车璩光;车璩色中出绿真珠光;珊瑚琥珀一切众宝以为映饰。妙真珠网弥覆树上,一一树上有七重网,一一网间有五百亿妙华宫殿,如梵王宫。诸天童子自然在中,一一童子有五百亿释迦毗楞伽摩尼宝[4]以为璎珞;其摩尼光照百由旬,犹如和合百亿日月,不可具名,众宝间错色中上者。此诸宝树,行行相当,叶叶相次,于众叶间生诸妙花,花上自然有七宝果。一一树叶,纵广正等二十五由旬;其叶千色有百种画,如天缨珞;有众妙华,作阎浮檀金色;如旋火轮,宛转叶间,踊生诸果,如帝释瓶[5];有大光明,化成幢幡无量宝盖。是宝盖中,映现三千大千世界一切佛事;十方佛国亦于中现。见此树已,亦当次第一一观之,观见树茎、枝叶、华果,皆令分明。是为树想,名第四观。作是观者,名为正观。若他观者,名为邪观。"

佛告阿难及韦提希:"树想成已,次当想水。欲想水者,极乐国土有八池水。一一池水七宝所成;其宝柔软从如意珠王生,分为十四支;一一支作七宝色。黄金为渠,渠下皆以杂色金刚以为底沙。一一水中有六十亿七宝莲花,一一莲华团圆正等十二由旬。其摩尼水流注华间,寻树上下。其声微妙,演说苦、空、无常、无我、诸波罗蜜,复有赞叹诸佛相好者。从如意珠王踊出金色微妙光明,其光化为百宝色鸟,和鸣哀雅,常赞念佛、念法、念僧，是为八功德水想，名第五观。作是观者，名为正观。若他观者，名为邪观。"

佛告阿难及韦提希："众宝国土，一一界上有五百亿宝楼，其楼阁中有无量诸天，作天伎乐。又有乐器悬处虚空，如天宝幢不鼓自鸣。此众音中，皆说念佛、念法、念比丘僧。此想成已，名为粗见极乐世界宝树、宝地、宝池，是为总观想，名第六观。若见此者，除无量亿劫极重恶业，命终之后必生彼国。作是观者，名为正观。若他观者，名为邪观。"

佛告阿难及韦提希："谛听，谛听！善思念之。吾当为汝分别解说除苦恼法，汝等忆持，广为大众分别解说。"说是语时，无量寿佛住立空中，观世音、大势至，是二大士侍立左右[6]。光明炽盛不可具见，百千阎浮檀金色不得为比。

时韦提希见无量寿佛已，接足作礼，白佛言："世尊！我今因佛力故，得见无量寿佛及二菩萨，未来众生，当云何观无量寿佛及二菩萨？"

佛告韦提希："欲观彼佛者，当起想念，于七宝地上作莲花想，令其莲花一一叶作百宝色。有八万四千脉，犹如天画；一一脉有八万四千光，了了分明，皆令得见。华叶小者，纵广二百五十由旬；如是莲华有八万四千大叶，一一叶间，有百亿摩尼珠王以为映饰。一一摩尼珠放千光明，其光如盖，七宝合成，遍覆地上。释迦毗楞伽摩尼宝以为其台；此莲花台，八万金刚甄叔迦宝，梵摩尼宝，妙真珠网，以为交饰。于其台上，自然而有四柱宝幢，一一宝幢如百千万亿须弥山；幢上宝缦如夜摩天[7]宫，复有五百亿微妙宝珠，以为映饰。一一宝珠有八万四千光，一一光作八万四千异种金色，一一金色遍其宝土，处处变化，各作异相;或为金刚台,或作真珠网,或作杂花云,于十方面随意变现,施作佛事,是为花座想,名第七观。"

佛告阿难:"如此妙花,是本法藏比丘愿力所成,若欲念彼佛者,当先作此妙花座想。作此想时不得杂观;皆应一一观之,一一叶,一一珠,一一光,一一台,一一幢,皆令分明,如于镜中自见面像。此想成者,灭除五百亿劫生死之罪,必定当生极乐世界。作是观者,名为正观。若他观者,名为邪观。"

佛告阿难及韦提希:"见此事已,次当想佛。所以者何?诸佛如来是法界身,遍入一切众生心想中;是故汝等心想佛时,是心即是三十二相、八十随形好。是心作佛,是心是佛。诸佛正遍知海,从心想生,是故应当一心系念,谛观彼佛、多陀阿伽度、阿罗呵、三藐三佛陀。想彼佛者,先当想像。闭目开目,见一宝像,如阎浮檀金色,坐彼华上。像既坐已,心眼得开,了了分明,见极乐国七宝庄严,宝地、宝池、宝树行列,诸天宝缦弥覆树上,众宝罗网满虚空中。见如此事,极令明了,如观掌中。见此事已,复当更作一大莲华在佛左边,如前莲华等无有异。复作一大莲华在佛右边,想一观世音菩萨像坐左华座,亦放金光如前无异。想一大势至菩萨像坐右华座。此想成时,佛菩萨像皆放妙光;其光金色,照诸宝树。一一树下亦有三莲华,诸莲华上各有一佛二菩萨像,遍满彼国。此想成时,行者当闻水流、光明及诸宝树、凫雁、鸳鸯皆说妙法。出定、入定恒闻妙法。行者所闻,出定之时忆持不舍,令与修多罗合。若不合者,名为妄想,若与合者,名为粗想见极乐世界。是为想像,名第八观。作是观者,除无量亿劫生死之罪,于现身中得念佛三昧。作是观者,名为正观。若他观者,名为邪观。"

佛告阿难及韦提希："此想成已，次当更观无量寿佛身相光明。阿难当知！无量寿佛身，如百千万亿夜摩天阎浮檀金色。佛身高六十万亿那由他恒河沙由旬；眉间白毫右旋宛转，如五须弥山。佛眼清净如四大海水，清白分明。身诸毛孔演出光明，如须弥山。彼佛圆光如百亿三千大千世界；于圆光中，有百万亿那由他恒河沙化佛；一一化佛，亦有众多无数化菩萨，以为侍者。无量寿佛有八万四千相；一一相中，各有八万四千随形好；一一好中复有八万四千光明；一一光明遍照十方世界，念佛众生摄取不舍。其光相好及与化佛，不可具说；但当忆想令心明见。见此事者，即见十方一切诸佛，以见诸佛故名念佛三昧。作是观者，名观一切佛身，以观佛身故，亦见佛心。诸佛心者，大慈悲是，以无缘慈摄诸众生。作此观者，舍身他世，生诸佛前，得无生忍。是故智者应当系心谛观无量寿佛。观无量寿佛者，从一相好入，但观眉间白毫，极令明了。见眉间白毫相者，八万四千相好自然当见。见无量寿佛者，即见十方无量诸佛；得见无量诸佛故，诸佛现前受记。是为遍观一切色想，名第九观。作是观者，名为正观。若他观者，名为邪观。"

佛告阿难及韦提希："见无量寿佛了了分明已，次亦应观观世音菩萨。此菩萨身长八十亿那由他恒河沙由旬，身紫金色，顶有肉髻，项有圆光，面各百千由旬。其圆光中有五百化佛，如释迦牟尼。一一化佛，有五百菩萨，无量诸天，以为侍者。举身光中五道众生，一切色相皆于中现。顶上毗楞伽摩尼妙宝，以为天冠。其天冠中有一立化佛，高二十五由旬。观世音菩萨面如阎浮檀金色；眉间毫相备七宝色，流出八万四千种光明；一一光明，有无量无数百千化佛；一一化佛，无数化菩萨以为侍者，变现自在，满十方界。臂如红莲花色，有八十亿微妙光明，以为璎珞；其璎珞中，普现一切诸庄严事。手掌作五百亿杂莲华色；手十指端，一一指端有八万四千画，犹如印文。一一画有八万四千色；一一色有八万四千光，其光柔软普照一切，以此宝手接引众生。举足时，足下有千辐轮相，自然化成五百亿光明台。下足时，有金刚摩尼花，布散一切莫不弥满。其余身相，众好具足，如佛无异，唯顶上肉髻及无见顶相，不及世尊。是为观观世音菩萨真实色身想，名第十观。"

佛告阿难："若欲观观世音菩萨当作是观。作是观者，不遇诸祸，净除业障，除无数劫生死之罪。如此菩萨，但闻其名，获无量福，何况谛观！若有欲观观世音菩萨者，当先观顶上肉髻，次观天冠。其余众相亦次第观之，悉令明了，如观掌中。作是观者，名为正观。若他观者，名为邪观。"

佛告阿难及韦提希："次观大势至菩萨。此菩萨身量大小亦如观世音，圆光面各二百二十五由旬，照二百五十由旬。举身光明照十方国，作紫金色。有缘众生皆悉得见。但见此菩萨一毛孔光，即见十方无量诸佛净妙光明，是故号此菩萨名无边光。以智慧光普照一切，令离三涂，得无上力，是故号此菩萨名大势至。此菩萨天冠有五百宝莲华；一一宝华有五百宝台。一一台中，十方诸佛净妙国土广长之相，皆于中现。顶上肉髻如钵头摩花。于肉髻上有一宝瓶，盛诸光明，普现佛事。余诸身相如观世音，等无有异。此菩萨行时，十方世界一切震动，当地动处各有五百亿宝花。一一宝花庄严高显，如极乐世界。此菩萨坐时，七宝国土一时动摇。从下方金光佛刹，乃至上方光明王佛刹，于其中间无量尘数分身无量寿佛，分身观世音、大势至，皆悉云集极乐国土,侧塞空中坐莲华座,演说妙法,度苦众生。作此观者,名为观见大势至菩萨;是为观大势至色身相。观此菩萨者名第十一观,除无数劫阿僧祇生死之罪;作是观者不处胞胎,常游诸佛净妙国土。此观成已,名为具足观观世音及大势至。作是观者,名为正观。若他观者,名为邪观。"

佛告阿难及韦提希:"见此事时当起想作心,自见生于西方极乐世界,于莲华中结跏趺坐,作莲华合想,作莲华开想。莲华开时,有五百色光来照身想;眼目开想,见佛菩萨满虚空中,水鸟、树林及与诸佛,所出音声,皆演妙法,与十二部经合。若出定时忆持不失。见此事已,名见无量寿佛极乐世界。是为普观想,名第十二观。无量寿佛化身无数,与观世音及大势至,常来至此行人之所。作是观者,名为正观。若他观者,名为邪观。"

佛告阿难及韦提希:"若欲至心生西方者,先当观于一丈六像在池水上。如先所说,无量寿佛身量无边,非是凡夫心力所及。然彼如来宿愿力故,有忆想者必得成就。但想佛像得无量福,况复观佛具足身相!阿弥陀佛神通如意,于十方国变现自在。或现大身满虚空中;或现小身丈六八尺。所现之形皆真金色,圆光化佛及宝莲花,如上所说。观世音菩萨及大势至,于一切处身同众生,但观首相,知是观世音,知是大势至,此二菩萨助阿弥陀佛,普化一切。是为杂想观,名第十三观。作是观者,名为正观。若他观者,名为邪观。"

佛告阿难及韦提希:"凡生西方有九品人。上品上生者,若有众生,愿生彼国者,发三种心,即便往生。何等为三?一者、至诚心。二者、深心。三者、回向发愿心。具三心者必生彼国。复有三种众生,当得往生。何等为三?一者、慈心不杀,具诸戒行。

二者、读诵大乘方等经典。三者、修行六念,回向发愿生彼佛国。具此功德,一日乃至七日,即得往生。生彼国时,此人精进勇猛故,阿弥陀如来与观世音及大势至,无数化佛,百千比丘,声闻大众,无量诸天,七宝宫殿,观世音菩萨执金刚台,与大势至菩萨至行者前。阿弥陀佛放大光明,照行者身,与诸菩萨授手迎接。观世音、大势至与无数菩萨,赞叹行者,劝进其心。行者见已,欢喜踊跃。自见其身乘金刚台,随从佛后,如弹指顷,往生彼国。生彼国已,见佛色身众相具足,见诸菩萨色相具足。光明宝林,演说妙法。闻已即悟无生法忍。经须臾间历事诸佛,遍十方界,于诸佛前次第受记。还至本国,得无量百千陀罗尼门,是名上品上生者。"

"上品中生者,不必受持读诵方等经典。善解义趣,于第一义[8],心不惊动,深信因果,不谤大乘;以此功德,回向愿求生极乐国。行此行者命欲终时,阿弥陀佛与观世音及大势至,无量大众,眷属围绕,持紫金台至行者前,赞言:'法子! 汝行大乘,解第一义,是故我今来迎接汝。'与千化佛一时授手。行者自见坐紫金台,合掌叉手,赞叹诸佛,如一念顷,即生彼国七宝池中。此紫金台如大宝花,经宿即开。行者身作紫磨金色,足下亦有七宝莲华。佛及菩萨俱放光明,照行者身,目即开明。因前宿习,普闻众声,纯说甚深第一义谛。即下金台,礼佛合掌赞叹世尊。经于七日,应时即于阿耨多罗三藐三菩提,得不退转。应时即能飞至十方,历事诸佛,于诸佛所修诸三昧。经一小劫得无生法忍,现前受记,是名上品中生者。"

"上品下生者,亦信因果,不谤大乘,但发无上道心,以此功德,回向愿求生极乐国。彼行者命欲终时,阿弥陀佛及观世音并大势至，与诸眷属持金莲华，化作五百化佛，来迎此人。五百化佛一时授手，赞言：'法子！汝今清净，发无上道心，我来迎汝。'见此事时，即自见身坐金莲花。坐已华合，随世尊后，即得往生七宝池中。一日一夜莲花乃开，七日之中乃得见佛。虽见佛身，于众相好心不明了，于三七日后乃了了见。闻众音声，皆演妙法。游历十方，供养诸佛。于诸佛前闻甚深法，经三小劫得百法明门，住欢喜地。是名上品下生者。是名上辈生想，名第十四观。作是观者，名为正观。若他观者，名为邪观。"

佛告阿难及韦提希："中品上生者，若有众生受持五戒，持八戒斋，修行诸戒，不造五逆，无众过恶；以此善根，回向愿求生于西方极乐世界。行者临命终时，阿弥陀佛与诸比丘，眷属围绕，放金色光至其人所，演说苦、空、无常、无我，赞叹出家得离众苦。行者见已，心大欢喜。自见己身坐莲花台，长跪合掌为佛作礼。未举头顷即得往生极乐世界，莲花寻开。当华敷时，闻众音声赞叹四谛，应时即得阿罗汉道，三明、六通、具八解脱；是名中品上生者。"

"中品中生者，若有众生，若一日一夜持八戒斋[9]，若一日一夜持沙弥戒，若一日一夜持具足戒[10]，威仪无缺。以此功德，回向愿求生极乐国。戒香薰修，如此行者命欲终时，见阿弥陀佛与诸眷属放金色光，持七宝莲花至行者前，行者自闻空中有声，赞言：'善男子！如汝善人，随顺三世诸佛教故，我来迎汝。'行者自见坐莲花上，莲花即合，生于西方极乐世界。在宝池中，经于七日莲花乃敷。花既敷已，开目合掌，赞叹世尊。闻法欢喜，得须陀洹，经半劫已成阿罗汉；是名中品中生者。

"中品下生者，若有善男子、善女人，孝养父母，行世仁义，此人命欲终时，遇善知识为其广说阿弥陀佛国土乐事，亦说法藏比丘四十八大愿。闻此事已，寻即命终。譬如壮士屈伸臂顷，即生西方极乐世界。生经七日，遇观世音及大势至，闻法欢喜得须陀洹。过一小劫，成阿罗汉。是名中品下生者。是名中辈生想，名第十五观。作是观者，名为正观。若他观者，名为邪观。"

佛告阿难及韦提希："下品上生者，或有众生作众恶业，虽不诽谤方等经典，如此愚人，多造恶法，无有惭愧，命欲终时遇善知识，为赞大乘十二部经首题名字。以闻如是诸经名故，除却千劫极重恶业。智者复教合掌叉手，称南无阿弥陀佛。称佛名故，除五十亿劫生死之罪。尔时彼佛，即遣化佛，化观世音，化大势至，至行者前，赞言：'善哉！善男子！汝称佛名故诸罪消灭，我来迎汝。'作是语已，行者即见化佛光明，遍满其室，见已欢喜，即便命终。乘宝莲花，随化佛后，生宝池中，经七七日莲花乃敷。当花敷时，大悲观世音菩萨，及大势至菩萨，放大光明，住其人前，为说甚深十二部经。闻已信解，发无上道心。经十小劫，具百法明门，得入初地；是名下品上生者；得闻佛名、法名及闻僧名，闻三宝名即得往生。"

佛告阿难及韦提希："下品中生者，或有众生，毁犯五戒、八戒及具足戒，如此愚人，偷僧祇物，盗现前僧物，不净说法，无有惭愧，以诸恶法而自庄严。如此罪人，以恶业故应堕地狱。命欲终时，地狱众火一时俱至，遇善知识以大慈悲，即为赞说阿弥陀佛十力威德，广赞彼佛光明神力，亦赞戒、定、慧、解脱、解脱知见。此人闻已，除八十亿劫生死之罪。地狱猛火化为凉风，吹诸天华。华上皆有化佛菩萨，迎接此人。如一念顷，即得往生七宝池中莲花之内，经于六劫，莲花乃敷。当华敷时，观世音、大势至，以梵音声安慰彼人，为说大乘甚深经典。闻此法已，应时即发无上道心。是名下品中生者。"

佛告阿难及韦提希："下品下生者，或有众生作不善业，五逆、十恶，具诸不善。如此愚人以恶业故，应堕恶道，经历多劫，受苦无穷。如此愚人临命终时，遇善知识，种种安慰，为说妙法，教令念佛，彼人苦逼不遑念佛。善友告言：'汝若不能念彼佛者，应称归命无量寿佛。'如是至心令声不绝，具足十念，称南无阿弥陀佛。称佛名故，于念念中，除八十亿劫生死之罪。命终之时见金莲花，犹如日轮，住其人前，如一念顷，即得往生极乐世界。于莲花中满十二大劫，莲花方开。当花敷时，观世音、大势至以大悲音声，即为其人广说实相，除灭罪法。闻已欢喜，应时即发菩提之心；是名下品下生者。是名下辈生想，名第十六观。"

尔时世尊说是语时，韦提希与五百侍女，闻佛所说，应时即见极乐世界广长之相，得见佛身及二菩萨。心生欢喜，叹未曾有，豁然大悟，得无生忍。五百侍女发阿耨多罗三藐三菩提心，愿生彼国。世尊悉记，皆当往生，生彼国已，获得诸佛现前三昧。无量诸天，发无上道心。**（《佛说观无量寿佛经》）**

【注释】

[1]此经为中国佛教净土宗的重要经典，宣扬了往生净土思想，叙述释迦牟尼佛应韦提希夫人之请，在频婆娑罗宫为信众讲述观想阿弥陀佛的身相和极乐净土庄严的十六种观想方法以及往生西方极乐世界众生的各种品位。尤其是此经描述

的西方极乐世界种种相好光明,文辞美妙,令人生起对此世界之向往。

[2]疆良耶舍(383~442):南朝宋时期译经家。西域人。博通阿毗昙、律部,尤精禅观。刘宋文帝元嘉元年(424)赴建业,居于钟山之道林精舍,译出《观无量寿佛经》《观药王药上二菩萨经》等。

[3]韦提希:中印度摩揭陀国频婆娑罗王之夫人,阿阇世王之生母。据本经记载,阿阇世将其父王频婆娑罗幽闭于七重之室内,企图将其饿死,又将母亲韦提希幽禁。两人乃于禁闭处念佛,求佛为之说法,佛遂显神通,为其演说《观无量寿经》。显示此经乃处于五浊恶世众生获得解脱的法门。

[4]摩尼宝:意译为如意宝珠,佛典谓如意宝珠能含藏万法,为珠玉之总称,一般传说摩尼有消除灾难、疾病,及澄清浊水、改变水色之德,并随众生之意转变颜色等等。大乘佛教常以摩尼宝珠比喻众生本来具有的佛性。

[5]帝释瓶:帝释为三十三天(忉利天)之天主,居须弥山顶善见城,佛典常译为释迦提桓因陀罗。帝释瓶即帝释天王所用之宝瓶,此瓶可随心所欲,变现各种东西。

[6]根据净土宗经典,阿弥陀佛(无量寿佛)、观世音菩萨、大势至菩萨称为"西方三圣"。因此佛光明无量、寿命无量,故称无量寿佛。他在因地为法藏比丘时,发殊胜之四十八愿,经无数亿劫成就西方极乐世界,即净土宗之教主,能接引念佛人往生西方净土,故又称接引佛。阿弥陀三尊像通常以观音菩萨及大势至菩萨为其胁侍。

[7]夜摩天:佛典指欲界六天之第三天。又作焰摩天、离诤

天等。夜摩天有高达一万由旬之清净山、无垢山、大清净山、内像山等四大山及其他诸山，以诸多天花庄严，并有种种河池，百千园林周匝围绕。此天寿量为二千岁，其一昼夜相当人间二百年。在中国民间，夜摩天王逐渐演变为人死后之审判官，而成为鬼趣、地狱之主，即所谓阎魔王。

[8]第一义：指最上至深的妙理。也称第一义谛、真谛、胜义谛。与世谛、俗谛或世俗谛对称。《大乘入楞伽经·集一切佛法品》："第一义者是圣乐处因言而入，非即是言。第一义者是圣智内自证境，非言语分别智境。言语分别不能显示。"

[9]八戒斋：又称八关斋，佛教指在家信徒一昼夜受持的八条戒律，包括：一、不杀生；二、不偷盗；三、不邪淫；四、不妄语；五、不饮酒、食肉；六、不著花鬘璎珞、香油涂身、歌舞倡伎故往观听；七、不得坐高广大牀；八、不得过斋后吃食。

[10]具足戒：僧尼所受戒律之称。意谓戒条圆满充足，故名。其戒条数量，不尽一致。中国汉族僧尼依据《四分律》受戒，比丘戒有二百五十条，比丘尼戒有三百四十八条。

《楞伽阿跋多罗宝经》[1]（节选）

[南朝宋]求那跋陀罗[2] 译

尔时，大慧菩萨白佛言："世尊！如世尊所说，菩萨摩诃萨当善语义。云何为菩萨善语义？云何为语？云何为义？"

佛告大慧："谛听，谛听！善思念之，当为汝说。"

大慧白佛言："善哉，世尊！唯然受教。"

佛告大慧："云何为语？谓：言字妄想和合，依咽喉唇舌齿龂颊辅，因彼我言说，妄想习气计著生。是名为语。大慧！云何为义？谓：离一切妄想相、言说相，是名为义。大慧！菩萨摩诃萨于如是义，独一静处，闻思修慧，缘自觉了，向涅槃城，习气身转变已，自觉境界，观地地中间胜进义相。是名菩萨摩诃萨善义。"

"复次，大慧！善语义菩萨摩诃萨，观语与义，非异非不异；观义与语，亦复如是。若语异义者，则不因语辩义，而以语入义，如灯照色。复次，大慧！不生不灭，自性涅槃，三乘一乘，心自性等，如缘言说义计著，堕建立及诽谤见。异建立，异妄想，如幻种种妄想现。譬如种种幻，凡愚众生作异妄想，非圣贤也。"[3]（卷三《一切佛语心品》）

【注释】

[1]《楞伽阿跋多罗宝经》，简称《楞伽经》，大乘佛教重要经典，宣说世界万有皆由心所造，吾人认识作用之对象不在外界

而在内心的道理。此经有三种汉译本，即求那跋陀罗之译本，又称四卷《楞伽经》；北魏菩提流支译(513)之《入楞伽经》，又称十卷《楞伽经》；唐代实叉难陀译(700~704)之《大乘入楞伽经》，又称七卷《楞伽经》。其中四卷《楞伽经》为菩提达磨所付嘱慧可者，自古来特为禅宗所重。

[2]求那跋陀罗(394~468)：南北朝时到中国的中印度僧人，精大乘佛学，时人尊称他为摩诃衍(大乘和尚)。后在建康先后译出《杂阿含经》50卷(现存48卷)、《楞伽经》4卷等经典。尤其是《楞伽经》，后来为菩提达摩、慧可等人所重视，从而形成楞伽师学派，并进而发展成后世的禅宗，对后世影响深远。

[3]本节经文阐发大乘佛教"依义不依语"的思想，诫人善巧观察语义之间的关系，这一观念对于中国古代诗学理论的发展产生了重要影响。所谓语，指语言文字与意识的妄想和合，由肢体上种种发音器而生出音声及言字，运用妄习而发种种言说。所谓义，指言诠所指之真实义，必须在言诠上离去言说相、文字相、心缘相、分别相，才能契入第一义真如法性。但是，离开言诠又无由显义，而第一义又必须离言而始显。如何突破解决这一矛盾，成为后世阐述诗、禅关系等问题的重要理论根基。

《杂阿含经》[1]（节选）

[南朝宋] 求那跋陀罗 译

　　尊者难陀告诸比丘尼："善哉！善哉！比丘尼！汝于此义应如是观察：'彼彼法缘生彼彼法，彼彼法缘灭，彼彼生法亦复随灭、息、没、寂静、清凉、真实。'诸姊妹！譬如大树根、茎、枝、叶，根亦无常，茎、枝、叶皆悉无常。若有说言：'无彼树根、茎、枝、叶，唯有其影常、恒、住、不变易、安隐者，为等说不？'"

　　答言："不也，尊者难陀！所以者何？如彼大树根、茎、枝、叶，彼根亦无常，茎、枝、叶亦复无常，无根、无茎、无枝、无叶，所依树影，一切悉无。"

　　"诸姊妹！若缘外六入处无常，若言外六入处因缘生喜乐，恒、住、不变易、安隐者，此为等说不？"

　　答言："不也，尊者难陀！所以者何？我曾于此义如实观察，彼彼法缘生彼彼法，彼彼法缘灭；彼彼生法亦复随灭、息、没、寂静、清凉、真实。"

　　尊者难陀告诸比丘尼："善哉！善哉！姊妹！汝于此义当如实观察：'彼彼法缘生彼彼法，彼彼法缘灭，彼彼生法亦复随灭、息、没、寂灭、清凉、真实。'诸姊妹！听我说譬，夫智者因譬得解。譬如善屠牛师、屠牛弟子手执利刀，解剥其牛，乘间而剥，不伤内肉、不伤外皮，解其枝节筋骨，然后还以皮覆其上。若有人言：'此牛皮肉全而不离。'为等说不？"

　　答言："不也，尊者难陀！所以者何？彼善屠牛师、屠牛弟子手执利刀,乘间而剥,不伤皮肉,枝节筋骨悉皆断截,还以皮覆上,皮肉已离,非不离也。"

"姊妹! 我说所譬,今当说义。牛者譬人身粗色……"如箧毒蛇经广说。

"肉者谓内六入处,外皮者谓外六入处,屠牛者,谓学见迹,皮肉中间筋骨者,谓贪喜俱,利刀者,谓利智慧。多闻圣弟子以智慧利刀断截一切结、缚、使、烦恼、上烦恼、缠。是故,诸姊妹! 当如是学:'于所可乐法,心不应著,断除贪故;所可嗔法,不应生嗔,断除嗔故;所可痴法,不应生痴,断除痴故。于五受阴,当观生灭;于六触入处,当观集灭;于四念处,当善系心。住七觉分,修七觉分已,于其欲漏,心不缘著,心得解脱;于其有漏,心不缘著,心得解脱;于无明漏,心不缘著,心得解脱。'诸姊妹! 当如是学。"[2](《杂阿含经》卷十一)

【注释】

[1]《杂阿含经》,原始佛教基本经典,北传佛教四部阿含之一。因所集诸经篇幅短小,事多杂碎,故名。南朝宋求那跋陀罗译,原为50卷,缺2卷,后以《阿育王传》补入,共收经1362部。此经所述多为小乘佛教教理,但也显示出大乘思想的痕迹。主要内容为联系比丘修习禅定讲述佛教教义。主张"善摄诸根","内寂其心,如实观察",以及五蕴、六处、缘起、十二因缘等学说。

[2]本节经文用屠夫解牛的譬喻,说明观察因缘相生相灭的禅修方法。尽管所明之理与《庄子》"庖丁解牛"不尽相同,但对解牛这一譬喻的描述却非常相像,这充分说明佛教与道家

思想"心同理同"的关系,同时也说明,同一个比喻,可以在思想上作出不同角度的阐发,也正好表明"语"与"义"之间不同又不异的关系。

《文殊师利所说摩诃般若波罗蜜经》[1]（节选）

[梁]曼陀罗仙[2] 译

　　尔时文殊师利白佛言："世尊！我观正法，无为无相，无得无利，无生无灭，无来无去，无知者、无见者、无作者。不见般若波罗蜜，亦不见般若波罗蜜境界，非证非不证。不作戏论[3]，无有分别。一切法无尽离尽，无凡夫法，无声闻法，无辟支佛法、佛法。非得非不得，不舍生死，不证涅槃。非思议非不思议，非作非不作。法相如是，不知云何当学般若波罗蜜？"

　　尔时佛告文殊师利："若能如是知诸法相，是名当学般若波罗蜜。菩萨摩诃萨若欲学菩提自在三昧[4]，得是三昧已，照明一切甚深佛法，及知一切诸佛名字，亦悉了达诸佛世界，无有障碍，当如文殊师利所说般若波罗蜜中学。"

　　文殊师利白佛言："世尊！何以故名般若波罗蜜？"佛言："般若波罗蜜无边无际，无名无相，非思量，无归依，无洲渚，无犯无福，无晦无明，犹如法界，无有分齐，亦无限数，是名般若波罗蜜，亦名菩萨摩诃萨行处。非处非不行处，悉入一乘，名非行处。何以故？无念无作故。"

　　文殊师利白佛言："世尊！当云何行能速得阿耨多罗三藐三菩提？"佛言："文殊师利！如般若波罗蜜所说行，能速得阿耨多罗三藐三菩提。复有一行三昧，若善男子、善女人，修是三昧者，亦速得阿耨多罗三藐三菩提。"

　　文殊师利言："世尊！云何名一行三昧？"

佛言："法界一相，系缘法界，是名一行三昧。若善男子、善女人，欲入一行三昧，当先闻般若波罗蜜，如说修学，然后能入一行三昧。如法界缘，不退不坏，不思议，无碍无相。善男子、善女人，欲入一行三昧，应处空闲，舍诸乱意，不取相貌，系心一佛，专称名字。随佛方所，端身正向，能于一佛念念相续，即是念中，能见过去、未来、现在诸佛。何以故？念一佛功德无量无边，亦与无量诸佛功德无二，不思议佛法等无分别，皆乘一如，成最正觉，悉具无量功德、无量辩才。如是入一行三昧者，尽知恒沙诸佛法界无差别相。阿难所闻佛法，得念总持，辩才智慧于声闻中虽为最胜，犹住量数，则有限碍。若得一行三昧，诸经法门，一一分别，皆悉了知，决定无碍。昼夜常说，智慧辩才终不断绝。若比阿难多闻辩才，百千等分不及其一。"菩萨摩诃萨应作是念："我当云何逮得一行三昧不可思议功德无量名称？"佛言："菩萨摩诃萨当念一行三昧，常勤精进而不懈怠。如是次第渐渐修学，则能得入一行三昧，不可思议功德作证，除谤正法不信，恶业重罪障者，所不能入。"

"复次，文殊师利！譬如有人得摩尼珠，示其珠师。珠师答言：'此是无价真摩尼宝。'即求师言：'为我治磨，勿失光色。'珠师治已，随其磨时，珠色光明映彻表里。文殊师利，若有善男子、善女人，修学一行三昧不可思议功德无量名称，随修学时，知诸法相，明达无碍，功德增长，亦复如是。文殊师利，譬如日轮，光明遍满，无有减相。若得一行三昧，悉能具足一切功德，无有缺少，亦复如是。照明佛法，如日轮光。"

"文殊师利，我所说法，皆是一味离味，解脱味，寂灭味。若善男子、善女人，得是一行三昧者，其所演说，亦是一味离味,解脱味、寂灭味,随顺正法,无错谬相。文殊师利,若菩萨摩诃萨得是一行三昧,皆悉满足助道之法,速得阿耨多罗三藐三菩提。"

"复次,文殊师利,菩萨摩诃萨不见法界有分别相及以一相,速得阿耨多罗三藐三菩提相,不可思议。是菩提中,亦无得佛。如是知者,速得阿耨多罗三藐三菩提。若信一切法悉是佛法,不生惊怖,亦不疑惑。如是忍者,速得阿耨多罗三藐三菩提。"(《文殊师利所说摩诃般若波罗蜜经》卷下)

【注释】

[1]《文殊师利所说摩诃般若波罗蜜经》, 简称《文殊般若经》,大乘佛教般若类经典,收于大正藏第八册。文殊师利为大乘佛教著名菩萨,以大智著称,与普贤菩萨常侍于释迦如来之左右,为度化娑婆世界众生的大菩萨。本经以文殊师利菩萨为主,叙述一行三昧等不可思议般若法门。

[2]曼陀罗仙:南北朝时期扶南国沙门,生平事迹不详。

[3]戏论:佛教指即违背真理,不能增进善法而无意义之言论。

[4]三昧:梵语 samâdhi 之音译,又译为三摩地、三摩提等,意译为等持、定、正定、定意等,即将心定于一处(或一境)的一种安定状态。达三昧之状态时,即起正智慧而开悟真理。

《大乘起信论》[1]（节选）

[梁]真谛[2] 译

复次，有四种法熏习义故，染法、净法起不断绝。云何为四？一者净法，名为真如。二者一切染因，名为无明。三者妄心，名为业识。四者妄境界，所谓六尘。

熏习义者，如世间衣服，实无于香，若人以香而熏习故则有香气。此亦如是，真如净法，实无于染，但以无明而熏习故，则有染相。无明染法实无净业，但以真如而熏习故则有净用。

云何熏习起，染法不断？所谓以依真如法故有于无明，以有无明染法因故即熏习真如；以熏习故则有妄心，以有妄心即熏习无明。不了真如法故，不觉念起，现妄境界。以有妄境界染法缘故，即熏习妄心，令其念著造种种业，受于一切身心等苦。

此妄境界熏习义则有二种。云何为二？一者增长念熏习，二者增长取熏习。妄心熏习义则有二种。云何为二？一者业识根本熏习，能受阿罗汉、辟支佛、一切菩萨生灭苦故。二者增长分别事识熏习，能受凡夫业系苦故。

无明熏习义有二种。云何为二？一者根本熏习，以能成就业识义故。二者所起见爱熏习，以能成就分别事识义故。云何熏习起净法不断？所谓以有真如法，故能熏习无明，以熏习因缘力故，则令妄心厌生死苦、乐求涅槃。以此妄心有厌求因缘故，即熏习真如。自信己性，知心妄动，无前境界，修远离法，以如实知无前境界故，种种方便起随顺行，不取不念，乃至久远熏习力故,无明则灭。以无明灭故,心无有起,以无起故境界随灭,以因缘俱灭故,心相皆尽,名得涅槃成自然业。

妄心熏习义有二种。云何为二?一者分别事识熏习,依诸凡夫二乘人等,厌生死苦,随力所能,以渐趣向无上道故。二者意熏习,谓诸菩萨发心勇猛速趣涅槃故。

真如熏习义有二种。云何为二?一者自体相熏习,二者用熏习。自体相熏习者,从无始世来,具无漏法备,有不思议业,作境界之性。依此二义恒常熏习,以有力故,能令众生厌生死苦、乐求涅槃,自信己身有真如法,发心修行。

问曰:"若如是义者,一切众生悉有真如,等皆熏习,云何有信、无信,无量前后差别?皆应一时自知有真如法,勤修方便等入涅槃。"

答曰:"真如本一,而有无量无边无明,从本已来自性差别厚薄不同故。过恒沙等上烦恼依无明起差别,我见爱染烦恼依无明起差别。如是一切烦恼,依于无明所起,前后无量差别,唯如来能知故。又诸佛法有因有缘,因缘具足乃得成办。如木中火性是火正因,若无人知,不假方便能自烧木,无有是处。众生亦尔,虽有正因熏习之力,若不值遇诸佛菩萨善知识等以之为缘,能自断烦恼入涅槃者,则无是处。若虽有外缘之力,而内净法未有熏习力者,亦不能究竟厌生死苦、乐求涅槃。若因缘具足者,所谓自有熏习之力,又为诸佛菩萨等慈悲愿护故,能起厌苦之心,信有涅槃,修习善根。以修善根成熟故,则值诸佛菩萨示教利喜,乃能进趣,向涅槃道。"

用熏习者,即是众生外缘之力。如是外缘有无量义,略说二种。云何为二?一者差别缘,二者平等缘。差别缘者,此人依于诸佛菩萨等，从初发意始求道时乃至得佛，于中若见若念，或为眷属父母诸亲，或为给使，或为知友，或为怨家，或起四摄，乃至一切所作无量行缘，以起大悲熏习之力，能令众生增长善根，若见若闻得利益故。此缘有二种。云何为二？一者近缘，速得度故。二者远缘，久远得度故。是近远二缘，分别复有二种。云何为二？一者增长行缘，二者受道缘。平等缘者，一切诸佛菩萨，皆愿度脱一切众生，自然熏习恒常不舍。以同体智力故，随应见闻而现作业。所谓众生依于三昧，乃得平等见诸佛故。此体用熏习，分别复有二种。云何为二？一者未相应，谓凡夫、二乘初发意菩萨等，以意、意识熏习，依信力故而能修行；未得无分别心与体相应故，未得自在业修行与用相应故。二者已相应，谓法身菩萨得无分别心，与诸佛智用相应，唯依法力自然修行，熏习真如，灭无明故。

复次，染法从无始已来熏习不断，乃至得佛后则有断。净法熏习则无有断，尽于未来。此义云何？以真如法常熏习故，妄心则灭，法身显现，起用熏习，故无有断。

复次，真如自体相者，一切凡夫、声闻、缘觉、菩萨、诸佛，无有增减，非前际生、非后际灭，毕竟常恒。从本已来，性自满足一切功德。所谓自体有大智慧光明义故，遍照法界义故，真实识知义故，自性清净心义故，常乐我净义故，清凉不变自在义故。具足如是过于恒沙不离、不断、不异、不思议佛法，乃至满足无有所少义故，名为如来藏，亦名如来法身。[3]（《大乘起信论》）

【注释】

[1]《大乘起信论》：马鸣造，梁真谛译。阐明如来藏缘起之旨，及菩萨、凡夫等发心修行之相，系从理论、实修两方面总结大乘佛教的中心思想，为佛学思想方面的重要入门书。二十世纪初期，佛学界围绕《大乘起信论》真伪、如来藏思想是否符合佛法等重要理论问题，展开激烈讨论，多数学者认为此论为中国人所造，其理论也代表中国大乘佛教根本思想。

[2]真谛(499~569)：南北朝时期著名译经僧。西北印度人，婆罗门种。南朝梁时抵中国南海，游转于中国南方多地，译经不辍，与鸠摩罗什、玄奘、义净同称四大翻译家。其翻译经典以《摄大乘论》《大乘起信论》影响最大。

[3]本节文字具有纲要性质，其核心是一心二门，一为心真如门，一为心生灭门。"心真如门"是如来藏心的第一重含义，是从体性上来说的。它非染非净、非生非灭、不动不静、平等一味；"心生灭门"是如来藏心的第二重含义，是从相用上来说的。它表现为随熏转变，形诸染净；染净虽成，性恒不动等。真如为生灭之体，生灭为真如之用。围绕这一点，揭示了众生由悟至迷的原因，同时也展示了通过佛教修为由迷转悟的途径。"木中火性"的比喻非常妙，喻众生虽然具有真如佛性，但如果不遇到诸佛菩萨等助缘和长期修习，也无法成佛。

《般若波罗蜜多心经》[1]

[唐]玄奘[2] 译

观自在菩萨行深般若波罗蜜多时,照见五蕴皆空,度一切苦厄。[3]

舍利子! 色不异空,空不异色;色即是空,空即是色。受、想、行、识,亦复如是。

舍利子! 是诸法空相,不生不灭,不垢不净,不增不减。是故,空中无色,无受、想、行、识;无眼、耳、鼻、舌、身、意;无色、声、香、味、触、法;无眼界,乃至无意识界;无无明亦无无明尽,乃至无老死亦无老死尽;无苦、集、灭、道;无智,亦无得。以无所得故,菩提萨埵。[4]

依般若波罗蜜多故,心无挂碍;无挂碍故,无有恐怖,远离颠倒梦想,究竟涅槃。三世诸佛依般若波罗蜜多故,得阿耨多罗三藐三菩提。故知般若波罗蜜多,是大神咒,是大明咒,是无上咒,是无等等咒,能除一切苦真实不虚。[5]

故说般若波罗蜜多咒,即说咒曰:"揭帝,揭帝,般罗揭帝,般罗僧揭帝,菩提萨婆诃。"[6]

【注释】

[1]《般若波罗蜜多心经》:略称《般若心经》《心经》,唐代玄奘译,收于《大正藏》第八册。心含有精要、心髓等意,全经只有260个字,言简意赅,将内容庞大之般若经浓缩,成为表现"般

若皆空"精神之简洁经典。全经举出五蕴、三科、十二因缘、四谛等法以总述诸法皆空之理。本经注释采用的是明代蕅益智旭法师的《般若波罗蜜多心经释要》,以见古人注解佛经之一斑。智旭法师注经题曰:"此直指吾人现前一念介尔之心,即是三般若也。夫心、佛、众生,三无差别,但以生法太广,佛法太高,初心之人惟观心为易,是故大部六百余卷,既约佛法及众生法,广明般若。今但直约心法,显示般若。然大部虽广明佛法及众生法,未尝不即心法。今文虽直明心法,未尝不具佛法及众生法,故得名为三无差也。以吾人现前一念介尔之心,虚明洞彻,了了常知,不在内外中间诸处,亦无过现未来形迹,即是观照般若。以吾人现前一念介尔之心,炳现根身器界,乃至十界,假实国土,平等印持,不前不后,同时顿具,即是文字般若。盖山河大地明暗色空等一切诸境界,性无非文字,不但纸墨语言为文字也。以吾人现前一念介尔之心,所有知觉之性及与境界之性,无分无剂,无能无所,无是非是,统惟一法界体,即是实相般若。实相般若,非彼岸,非此岸,达此现前一念之实相,故生死即涅槃,名波罗蜜。观照般若,亦非彼岸非此岸,照此现前一念即实相,故即惑成智,名波罗蜜。文字般若,亦非彼岸非此岸,显此现前一念即实相,故即结业是解脱,名波罗蜜。是故此心即三般若,三般若只是一心。此理常然,不可改变,故名为经。依此成行,三世诸佛菩萨之所共遵,故名为经。说此法门,天魔外道不能乱坏,故名为经。"

[2]玄奘(602~664):唐代高僧。河南偃师人,俗姓陈,名祎。于太宗时曾到印度研究佛学十七年,回国后翻译佛经很多,人称为三藏大师,或慈恩大师,为法相宗之开祖。玄奘是古代著

名佛经翻译家,他改变了此前译经家多以"达意"为原则而信笔直译之翻译法,提倡忠于原典、逐字翻译之译经新规则。后代译经家每以玄奘所立之定则为法式,而称玄奘以前所译之经为旧译,称玄奘以后所译之经为新译。

[3]要知山下路,须问过来人,故举观心行成者为榜样也。观者,能观之智,即一心三观,通名观照般若也。自在者,由证实相理谛,于诸境界得大解脱也。菩萨,翻觉有情,乃自利利他之号,智契实相,则自利满足。智宣文字,则利他普遍,故名菩萨,此明能行之人也。深般若波罗蜜多者,三智一心中得,权教三乘所不能共,故名为深,此总明所行之法也。时者,追指旷劫以前而言,从此一得相应,则直至尽未来际,终始不离深般若矣。照见者,别明能观之智,即观照般若。五蕴者,别明所观之境,即文字般若。皆空者,别明所显之谛,即实相般若。五阴无不即空假中,四句咸离,百非性绝,强名为空耳。度一切苦厄者,自出二死苦因苦果,亦令法界众生同出二死因果,即是行法之效,亦即波罗蜜多也。

[4]此广释五蕴皆空之境谛,而观照自在其中,以非观照不能了达此境谛。故夫心者,不起则已,介尔有心,则必顿现根身器界,名为色蕴。则必领纳诸苦乐境,名为受蕴。则必取相施设名言,名为想蕴。则必生灭迁流不停,名为行蕴。则必了了分别诸法,名为识蕴。是知随其所起介尔之心,法尔具足,五叠浑浊。今以甚深般若照之,了知色惟是心,别无实色,一切根身器界,皆如空华梦物,故色不异空,空亦惟心,别无异空。设有一法过涅槃者,我亦说为如幻如梦,故空不异色。既云不异,已是相即,犹恐封迷情者,尚作翻手覆手之解。故重示云:色即是

空,空即是色,谓随拈一微尘色体,即法界横遍竖穷,故即是空,所谓全事即理,无有少许理性而不在此事中。即此微尘所具真空全理,还即顿具法界全事,故即是色,所称全理即事,无有少许事相而不在此理中。斯则当体绝待,更无二物。既于色蕴了达此实相已,受想行识,例皆可知。又恐执迷之人,谓此五蕴实相,从照见生,故更申示之曰:是五蕴诸法,当体即是真空实相,本自如斯,非实相生而五蕴灭,以五蕴本自不生不灭,故名为空相耳。又恐迷者谓此五蕴空相虽非生灭,而有垢净,谓凡夫随于染缘则垢,圣人随于净缘则净,故更申示之曰:凡夫五蕴亦即空相,圣人五蕴亦即空相,何垢净之有哉?又恐迷者谓此五蕴空相,虽无垢净而有增减,谓凡夫迷,故生死浩然为增,德相隐覆为减。圣人悟,故照用无尽为增,惑业消亡为减,故更申示之曰:迷时亦只此诸法空相,悟时亦只此诸法空相,何增减之有哉?既向五蕴发明此妙谛已,遂即广说一切差别法相,融绝圣凡情见,而曰:是故空中无色乃至亦无得也,然所谓无色乃至亦无得者,岂俟融绝而后无哉!良以本无所得故也。本无所得,名之为谛,了此无得,名之为观。而总不离五蕴为所观境,若境若谛若观,又总不离现前一念介尔之心,一心宛具三义谛,即实相。观即观照,境即文字,不纵横并别,亦非一异,故名为深般若也。

[5]此遍举菩萨诸佛为证,而明此深般若真能度一切苦厄。所谓过去诸如来,斯门已成就,现在诸菩萨,今各入圆明,未来修学人,当依如是法,非惟观世音也。无挂碍,则结业即解脱,究竟方便涅槃。无恐怖,则苦果即法身,究竟性净涅槃。远离颠倒梦想,则烦惑即智明,究竟圆净涅槃。依实相般若,得真性菩

160

提,依观照般若,得实智菩提,依文字般若,得方便菩提。菩提是如如智,智必冥理。涅槃是如如理,理必契智,故影略而互言之。此深般若,即大神咒,具妙用故,即大明咒,智照相故,即无上咒,实相体故,即无等等咒,无有一法能等此心。此心能等一切诸法,令其同归实相印故。此之心咒,的的能除自他分段、变易、诸苦因果,真实不虚,应谛信也。

[6]前之显说,既指般若即咒,此之密说,须知咒即般若。然显说而又密说者,显密各具四悉檀益故,正以不翻为妙,不宜穿凿。

【附录】《摩诃般若波罗蜜多心经注解》(节选)

[唐]玄奘 译　[明]松溪道人无垢子 注

这点灵光道上来，只因逐妄堕尘埃。

君今要见还乡路，悟得心经道眼开。

摩　诃

西天梵语也，东土翻为大。且大者，广无边际之谓也。广大无边者，莫过虚空大道也。川老云："虚空境界莫思量，大道清幽理更长。"又云："十方无壁落，八面亦无门。大道无边际，虚空难度量。"道云："迎之不见其首，随之不见其后。"儒云："仰之弥高，钻之弥坚，瞻之在前，忽焉在后。"诸贤圣皆如此称扬广大也。日月虽明，难比其光，乾坤虽大，难包其体，能生万有而不见其形，遍周沙界而不睹其迹。虽是如此广大玄妙，谁知更有一物过于此者？且道是何物？还识这个○么？宽则包藏法界，窄则不立纤毫，显则八荒九夷无所不至，隐则纤芥微尘无所不入。今者不避罪，分明漏泄，乃人之本源也。仙师有云："为甚此心开大道？只因元向道中来。"世人不能返本者，盖因错认色身为己，被六根所瞒，七情遮蔽，自失本真，以致流浪生死也。要见本真么？寻不见，觅不见，十二时中绕身转，省得么？

法身体若太虚空，性道元来总一同。

只因逐妄迷真性，所以轮回六道中。

般　若

西天梵语也，东土翻为智慧。且智慧者，正知正解审察之谓也。修行之人，须用智慧之力，降伏身心，不令放肆，以习静定。道云："能以智慧之力，摄伏诸魔精。"《莲经》云："慧日破诸闇，能伏灾风火。"儒云："智能破邪，慧能破暗。"且无智愚人，作事粗恶，不肯三思，惟务广学多闻，念在夸谈讲论，不究自家生死，好觅他人是非，不亲真实道人，爱近虚头禅客，空谈圣人经典，心地全不用功。图名贪利，我慢贡高，只说眼下时光，不想脑后之事。如此之人，乃聪明外道也。古德有云："外道聪明无智慧。"

仙师云："口说心不行，非是精细汉。"儒云："先治身心，后治家国。"且有智慧之人，作事安详，不肯造次，识因果，顾罪福，亲近知识，参问至人，穷性命之根元，究生死之大事，制伏身心，收敛神气，念念在道，息息归真。一日功成行满，囵地一声透出三界。此虚空混为一体，若到此地，造化不能移易，阴阳不能陶铸，四时不能迁，五行不能役，鬼神不能拘，劫火不能坏，作个逍遥自在物外闲人。要见物外闲人么？六座门头常出入，虽然相近不相亲。开著眼，休得蹉过！省得么？

智慧聪明路两差，聪明枝叶慧根芽。

若改愚痴生智慧，多年枯木自开华。

波　罗

西天梵语也，东土翻为彼岸。此岸者，生死之际也，彼岸者，出生死之岸也。迷者此岸，悟者彼岸。世人若迷本性，即愚痴颠倒，认四大六根为己，争名竞利，谋千年之活计，积万劫之冤口，背觉合尘，迷真逐妄忙，忙而不知休息，念念而心境不除。忽朝大限到来，临行手无所措，这里脱下湿布衫，那里穿上虱虱袄。去去来来，改头换面，似蚁循环，何日是了？生死苦海，几时得渡？如是之者，只在此岸。若有人猛然自悟，从前所为所作，尽是虚假，弃假循真，穷根究本，常近至人，常亲知识，求过岸之舟，觅方便之篙，渡过爱河苦海而登彼岸，得脱生死洪波，更不拖泥带水，作个脚干手燥、清净自在闲人也。且道如何得达彼岸？咦！他人难用力，自渡自家身，会么？

智慧为船精进篙，灵台用力出波涛。

翻身直上菩提岸，撒手归来明月高。

蜜　多

西天梵语也，东土翻为无极。又蜜者，和也；多者，众聚也。且无极者，至高至大，难极之谓也。释云"无极"道云"太极"，儒曰"皇极"，皆谓〇此也。今分明说开，蜜之一字亦比于大道虚空，多者谓万汇也，譬道能包含万类，有情无情，尽在大道之中。人之真性一同，亦能包藏万法，万法尽在一性之中。太虚之内，有八万四千异类种性，说不可尽，皆在人之一性之内。一性譬如蜜种,性喻于多情,行人以一性,均和种性,合而为一,故曰蜜多。道云:"识得一,万事毕。"释云:"万法归一。"儒云:"吾道一以贯之。"且道如何是一?还识这个〇么?咄!五行不到处,父母未生前。虽然说破,不行难到,直须去尽尘垢方见,省么?

一性为蜜众为多,先将觉性普均和。

坐成一片真如性,一性圆明赴大罗。

心

心者,人之本源也,一切万法尽在一心之内。有八万四千等,动则无穷无尽,定则不变不移。释云:"心生,种种法生;心灭,种种法灭。"道云:"心死则性月朗明,心生则欲尘遮蔽。"儒云:"制之一心则止,谋于多事则乱。"是以古圣教学人,收摄其心,归于一处,唤作万法归一,又名一字法门。因人不信是心是佛,是心作佛,所以多种方便,指示世人见自本性,岂不见古云:"三点如星象,横钩似月斜。披毛从此得,作佛也由他。"是也,上天入地,皆在自心所为,非他处所得。经云:"在于闲处,收摄其心。"又云:"制之一处,事无不办。"不能归一者,因识心者少,乱性者多,故失真道矣。为何不识其心?因其多惑,其性皆缘失神昏昧,逐境迷心,六根内盲,著物乱性,不生智慧,愚暗之故也。若肯修心,穷性命,究生死,亲近明师,参求法药,疗治心病,念兹在兹,步步行行,坐卧不忘,语默动静,不离这个〇,忽然眉毛竖起,眼睛露出,便见本来面目。且道本来面目如何形状?川老有云:"火不能烧,水不能溺,风不能飘,刀不能劈。软似兜罗，硬如铁壁。天上人间，古今不识。" 咄！知道么？终朝常对面，不识是何人。

这轮心镜本无尘，因尘难照本来真。

尘尽镜明无一物，自然现出法王身。

经

经者径也，是世人修行之路径也。学人得此不疑拟，休要误了工程。蓦直便行，须有到家时节。只怕路头不真，差行错认。且道向甚处去？是予今明说：向寸草不生处，纤尘不立处，无泥水，无坑坎，净裸裸，赤洒洒，平稳稳处去！猛然逢著一颗〇，圆陀陀，光烁烁，亘古不坏，如意光明宝珠，亲手拈来，得大利用，不受困苦。释云"摩尼宝珠"，道云"黍米玄珠"，儒云"九曲明珠"，要见此珠么？一心象外觅，休向世间求。

这卷真经本在心，自家藏宝不须寻。

猛然检著无生品，迸出明珠耀古今。

观自在菩萨

自在菩萨，人人皆有，只因六根诸境遮障，不能观看，情欲万缘所牵，不得自在。若有智慧之人，信得及，放得下，但于幽静闲处，打并身心，坐令极静，静中更静，无纤毫异念，一心清净，守至静极，猛然一动，有一真人在自己灵宫，往往来来，纵横无碍，这里方见自己菩萨。优满自在，一刹那间，遍周沙界，随处现法身，到处不留迹。光明普照，观之不见。诸人若要见此菩萨,观之不用其目,听之不用其耳,去耳目之用,才识自在菩萨。道云:"视不见我,听不得闻,离种种边,名为妙道。"《金刚经云》:"若以色见我,以音声求我,是人行邪道,不能见如来。"儒云:"视不用目,听不用耳,离耳目之用,自然得性。"如是之者,方知一切处,此真仙菩萨未尝不在,同坐同行,同欢同笑,寸步不曾相离,只是自家昧了。要见此菩萨么?咦!虽然出入无踪迹,烁烁光明见也么?

菩萨从来不离身,自家昧了不相亲。

若能静坐回光照,便见生前旧主人。

行

行者,修行也,路径崎岖,不修难行。且修是修心向道,行是行善归真,如人修路相似,去碍路荆棘,除当道顽石,高者断之,低者填之,打扫洁净,便坦然平稳。人之心地,亦要如此下功,去一切损人利己之心,如去碍路荆棘相似,碍登途稳步。除一切杂念障道因缘,如除当道顽石一同,得进身平正。损大过,补不及,令得均平,屏垢心,绝染污,打并清净,此乃修行初入门之要也。非在口说,亦非足行,全凭心地下功。仙真云:"心地下功,全抛世事。"释云:"心地法门,非在舌辨。"儒云:"说不如行,行不如到。"此也。又要看这一步从何而起,若知起处,便知生死根源。昔日刘海月参白云师父,拜而问曰:"弟子念虑降伏不住,如何?"师问云:"是谁念虑?"答:"弟子。"师云:"是谁降伏?"海月似省不省,沉吟微笑。师云:"来去都由你闹,好没主宰。若是敌他不过,即便放下,更要知他放下的是谁?若识得自有主宰，便不被他瞒过。"海月遂省，礼谢而已。又石霜和尚问石头和尚："举念不停时如何？"石头咄云："是谁举念？"石霜于此大悟。但只如此体究，念念不离于当处，举意思虑，语言知觉，细细审观，从何而出？古云："欲知佛去处，只这语言是。"道云："要知本性根由，不离言语动静。"宝公云："未了之人听一言，只这如今谁动口？"然虽如是说开，向上更有妙处，不修不行，不能自到。若果到家乡，则罢问程矣。且道家乡远近？迷则千山万水隔，悟则回头便是家，理会得么？

起初行处认教真，若还失脚丧其身。

踏得故乡田地稳，做个逍遥自在人。

深

深者，幽微玄妙，彻骨彻髓处也。若要到此田地，须是打并轻快方可。道云："损之又损之，以至于无为。"释云："放下又放下，自然身心轻快。"儒云："苟日新，日日新，又日新。"要如此者，须去静坐，日夜打扫，直至扫无可扫，寸丝不挂，如父母未生前，烧了一般。古云："贴体汗衫都脱却，反求诸己廓然无。"自然到家，且道不得还家者，何也？呀！日晚程途远，身困担儿沉，省也么？

大道家乡本不深，世人担重自难寻。

若能放下浑无物，便见灵山佛祖心。

般　若

　　般若者,西天梵语也,东土翻为智慧。大凡为人,须要自生智慧,若无智慧,真是愚人,空过一生,甘伏死门。有一等无智之人,以聪明谓之智慧,大错矣!且聪明之人,卖弄精细,役使心神,出言如飞龙,俊鹘行持,如跛鳖病龟,贪利图名,以粗作细。看世财如骨如髓,弃性命若粪若土,只知明日后日,今年后年,不知老之将至,死限临头,可惜空过时光,虚劳一世,似此所为,生死轮回如何脱得?有智之人,外如愚鲁,内默安详,识有生有死,悟无得而无失。常自谛观:生从何来?死从何往?发此一念,亲近知识,参问至人,求出世之法,逃生死之路,避过恶如避锥刀,顾性命如顾宝贝。动则安人利物,亦不被境瞒,静则入定观空,更不滞莽荡。如是之者,一旦果完摆手,还家得大自在。先师云:"一日得还乡,不作飘蓬客。"释云:"撒手到家人不识,更无一物献尊堂。"川老云:"孤舟到岸,远客还乡。"且道如何是乡?咄!远后十万八千,近后不离当处,会得么?

　　智慧聪明总是心,智人修内蠢傍寻。

　　若人有智超三界,无智愚夫生死临。

波　罗

　　波罗者,西天梵语也,东土翻为到彼岸。且迷者有生死,堕轮回,只在此岸也;悟者超生死,脱轮回,到彼岸也。若要到彼岸,须是自生智慧,过此生死苦海,如人过水,水深难过,须用船桥，或用木牌竹筏，多种方便盛载，过此苦海而到彼岸。既达彼岸，前者船桥木牌等物，尽皆无用，见性悟道者，亦复如是。大颠云："如盲人求医，远路不能自行，须假人牵，兼手中有杖方可。无此二物，不能得到。既到医家，医师与他点眼，大见光明，其杖与牵人都无用处，顿悟涅槃正道，亦复如是。"且道甚是牵人柱杖？予今说破：信者便行，不得外行，难成内功。须用广作福田，福至心灵，自然有个道径，只此便是牵人也；然后可以坐禅修道，辨取内功，求见性之法，了生死大事。一日功圆，得见本来面目，便是柱杖也；更要参访明眼师真，大德高僧，求其印证，印证师真，便是医人也。一日顿悟，从前多种方便，尽皆无用，惟柱杖不可弃。道云："得鱼忘筌，得兔忘蹄。"释云："过河须用筏，到岸不须船。"儒云："得意忘言，得米忘田。"且道都教忘却，因甚只不教齐了柱杖？未到水穷山尽处，且存作伴过时光，理会也未？

这根柱杖本无相，元与虚空无两样。

若人提起透三天，遍界邪魔不敢望。

蜜　多

蜜多者，西天梵语也，东土翻为无极。且无极者，无极而太极者，〇乃虚空妙道也。古云："无极而太极，太极分二仪，二仪分三才，三才生四象，四象生五行。"因有五行，渐渐滋生万类。万类，尽在妙道之中，包含也。是以蜜之一字，喻于虚空妙道，多者比于诸品众类，有情无情，皆属道之含摄，且如蜂采百华，酝造成蜜，未成之时，有醎酸甘苦辛之众味，青黄赤白之众色，其味不等，其色不一。一日功成蜜就，种种之味酿成一味，般般之色混同一色，馨香美味一无差别，到此则蜂得养生，人得受用，修行之人亦复如是。且如修行之人调伏身心，朝磨暮炼，功行未成之际，有悭贪心、利名心、嫉妒心、计较心、胜负心、贡高心、我慢心、杀害心、狼毒心、三毒心、怕怖心、邪心、妄心、无明黑暗心，种种不善之心，又有暴恶性、粗躁性、风吹性、随邪性、愚浊性、见趣性、乖劣性、虚诈性、好哄性、撅强性、颠狂性、浮华性、谄曲性，自无始劫来，一切习性，八万四千有余，说不可尽。一日功圆，顽心自尽，煆成一味清净最上无碍真心，种种自和，炼就一片万劫不坏圆明法性。到此并无差别之心，亦无异类之性，众恶自消，众恶自灭，一真独露，得大自在。古德云："众星朗朗，不如孤月独明。"道云："百川流不尽，一海纳无穷。"仙师云："千思万虑终成妄，独守一真道自亲。"且道如何得见一真？咄！开眼被他瞒，诸人拿不著，省也未？

若干种种恐难同，休教差别走西东。

收来安放丹炉内，炼得金乌一样红。

时

时者，正见之时也。言见亦无可见，言时未可定时。仙师云："一阳才动之时，自有无穷消息。"古德云："清风飒飒透心怀，此时快乐人难识。"玄之又玄，无东西南北，无四维上下，无过去未来见在。虚空平等，与大道混然，无有二处，共归一时。川老云："时时清风明月镇相随，桃红李白蔷薇紫，问著东君总不知。"且道东君在何处安身？○！见么？打不离，割不死，在桃红李白,在蔷薇黄紫。呵呵！模得著也未?

若问端的是何时,清风明月自家知。

东君昨夜传消息,绽出红梅第一枝。

照见五蕴皆空

五蕴者,色、受、想、行、识也。此五等,因积习而不散,妄认色身是我,故长劫轮回。若人猛省,借此幻身,须教修行,常自返照,照见五蕴净尽,清净本然。且道如何是色、受、想、行、识?怎生得此五蕴皆空?予今直说分明,若有解悟之者,休生疑惑,信受奉行,必有契道之日。且色者,窒碍之义,若见境逢物,不著不染,是无窒碍,色蕴自空也。受者,领纳之义,若遇一切声色境界,心不领纳,得受蕴空也。想者,妄想思虑之义,若过去不思,未来无想,现在自如,得想蕴空也。行者,心念不停迁流之义,若十二时中,心不外游,念不烦乱,不被物转,不被境留,一念不离当处,得行想空也。识者,别无亲疏之义,亦乃著物之理,若见一切境物,一无分别辨认,一概平等,见如不见,识如不识,无亲无疏,来则应之,去则不思,得识蕴空也。既得到此田地,自然照见五蕴皆空,六窗明净,净裸裸,赤洒洒,没可把,又有甚四大五蕴?名字亦不可得。道云:"惟见于空",释云:"虚空独露"。

昔歌利王游猎,遇一仙人,问语不答,先却左膊,次卸右膊,节节支解。仙人面无惧怒之色,与恒常一同,并不改颜。罽宾国王问狮子尊者曰:"在此做什么?"尊者答曰:"在此蕴空。"王问:"得蕴空否?"尊者答曰:"已得蕴空。"法王曰:"求师头,得否？"尊者答曰："身非我有，何况头乎？"又肇法师云："四大元无我，五蕴悉皆空。将头临白刃，犹如斩春风。"又舍利弗见天女，问云："何不变却女身去？"天女答曰："我十二年觅女身，了不可得，教我变个什么？"从上祖师，皆得蕴空法。又镜清和尚住院三年，本院土地要见师颜不能得。又太古郝真人，在赵州桥下办道，忽一夜闻众鬼于河畔共语云："明日有一戴铁帽人替我。"言讫，杳无音耗。至次日将暮，大雨忽作，见一人头顶一铁锅遮雨，至桥下，欲洗脚过桥。太古一见，喝云："不可洗！"其人听真人之言，扶栏上桥而去。至夜，众鬼皆至，一鬼言："我三年等得一个替头，被这先生将我底来破了。"众鬼欲害真人，来往寻觅不得，不知真人在于何处，嗟叹而去。其时真人只在桥下，鬼不能见。又弘觉和尚住庵，天厨送食，及再参洞山和尚后叛庵，天神三日送食，到庵不见庵主，庵主只在庵中，为何不见？皆得圆顿之法、隐身之诀，所以神鬼俱不得见。且道四大不实，色身非有，五蕴尽空，甚是本来面目？咄！这一句从那里出来？照见五蕴空底是阿谁？瞎汉当面蹉过。咦！一心只在丝纶上，不见芦华对蓼红。〇！见么？

识破回头便下功，了然脱洒悟心空。

从他四大都零落，其中别有一神通。

度一切苦厄

若得五蕴空，便出生死界，得免轮回苦。太上云："吾有大患，为吾有身，及吾无身，吾有何患？"释云："身是众苦之本。"儒云："有身有患，无执无忧。"经云："三界无安，犹如火宅。众苦充满,甚可怖畏。"若是有智之人,反照自己,悟得自身皆虚幻,非为真实,何况他物?一日无常,尽皆抛撒,百无一用,念念如此,心境自除,杂念自少。更须参访知识,亲近智人,求出身之路,了生死大事。忽朝爆地一声,脱下漆桶底,便见本来面目。要见本来面目么?○!古今无改变,人自认不真。

若得心空苦便无,有何生死有何拘?

一朝脱下胎用袄,作个逍遥大丈夫!

《首楞严经》[1]（节选）

[唐]般剌蜜帝[2]等 译

　　"复次，阿难[3]！云何十二处[4]本如来藏妙真如性？阿难！汝且观此祇陀树林及诸泉池。于意云何，此等为是色生眼见？眼生色相？阿难！若复眼根生色相者，见空非色，色性应销，销则显发一切都无，色相既无，谁明空质？空亦如是。若复色尘生眼见者，观空非色，见即销亡，亡则都无，谁明空色？是故当知，见与色空俱无处所，即色与见二处虚妄，本非因缘、非自然性。

　　"阿难！汝更听此祇陀园中，食办击鼓、众集撞钟，钟鼓音声前后相续。于意云何？此等为是声来耳边？耳往声处？阿难！若复此声来于耳边，如我乞食室罗筏城[5]，在祇陀林则无有我；此声必来阿难耳处，目连、迦叶[6]应不俱闻，何况其中一千二百五十沙门，一闻钟声同来食处。若复汝耳往彼声边，如我归住祇陀林中，在室罗城则无有我；汝闻鼓声，其耳已往击鼓之处，钟声齐出应不俱闻，何况其中象马牛羊种种音响。若无来往，亦复无闻。是故当知听与音声俱无处所，即听与声二处虚妄，本非因缘、非自然性。

　　"阿难！汝又嗅此炉中栴檀，此香若复然于一铢，室罗筏城四十里内同时闻气。于意云何？此香为复生栴檀木？生于汝鼻？为生于空？阿难！若复此香生于汝鼻，称鼻所生当从鼻出，鼻非栴檀，云何鼻中有栴檀气？称汝闻香当于鼻入，鼻中出香说闻非义。若生于空，空性常恒，香应常在，何藉炉中爇[7]此枯木？若生于木，则此香质因蓺成烟，若鼻得闻合蒙烟气，其烟腾空未及遥远，四十里内云何已闻？是故当知香臭与闻俱无处所，即嗅与香二处虚妄，本非因缘、非自然性。

"阿难！汝常二时众中持钵，其间或遇酥酪醍醐[8]名为上味。于意云何？此味为复生于空中？生于舌中？为生食中？阿难！若复此味生于汝舌，在汝口中只有一舌，其舌尔时已成酥味，遇黑石蜜应不推移，若不变移不名知味，若变移者舌非多体，云何多味一舌之知？若生于食，食非有识，云何自知？又食自知，即同他食，何预于汝，名味之知？若生于空，汝啖虚空当作何味？必其虚空若作咸味，既咸汝舌亦咸汝面，则此界人同于海鱼；既常受咸了不知淡，若不识淡亦不觉咸，必无所知，云何名味？是故当知味舌与尝俱无处所，即尝与味二俱虚妄，本非因缘、非自然性。

"阿难！汝常晨朝以手摩头。于意云何？此摩所知，唯为能触。能为在手？为复在头？若在于手，头则无知，云何成触？若在于头，手则无用，云何名触？若各各有，则汝阿难应有二身。若头与手一触所生，则手与头当为一体，若一体者触则无成；若二体者，触谁为在？在能非所，在所非能。不应虚空与汝成触。是故当知觉触与身俱无处所，即身与触二俱虚妄，木非因缘、非自然性。

"阿难！汝常意中所缘善、恶、无记三性[9]，生成法则。此法为复即心所生？为当离心别有方所？

"阿难！即心者，法则非尘，非心所缘，云何成处？若离于心别有方所，则法自性为知？非知？知则名心，异汝非尘，同他心量即汝即心，云何汝心更二于汝？若非知者，此尘既非色、声、香、味、离合冷暖及虚空相,当于何在?今于色空都无表示,不应人间更有空外,心非所缘,处从谁立?是故当知法则与心俱无处所,则意与法二俱虚妄,本非因缘、非自然性。

"复次,阿难!云何十八界本如来藏妙真如性?阿难!如汝所明,眼色为缘生于眼识,此识为复因眼所生,以眼为界?因色所生,以色为界?阿难!若因眼生,既无色空无可分别,纵有汝识欲将何用?汝见又非青黄赤白,无所表示从何立界?若因色生,空无色时汝识应灭,云何识知是虚空性?若色变时,汝亦识其色相迁变,汝识不迁,界从何立?从变则变,界相自无;不变则恒。既从色生,应不识知虚空所在。若兼二种眼色共生,合则中离,离则两合,体性杂乱云何成界?是故当知眼色为缘生眼识界,三处都无,则眼与色及色界三,本非因缘、非自然性。

……

阿难白佛言:"世尊!如来常说和合因缘,一切世间种种变化,皆因四大和合发明。云何如来因缘、自然二俱排摈?我今不知斯义所属,惟垂哀愍,开示众生中道了义无戏论法。"

尔时,世尊告阿难言:"汝先厌离声闻、缘觉诸小乘法,发心勤求无上菩提,故我今时为汝开示第一义谛。如何复将世间戏论、妄想因缘而自缠绕?汝虽多闻如说药人,真药现前不能分别,如来说为真可怜愍。汝今谛听,吾当为汝分别开示,亦令当来修大乘者通达实相。"阿难默然,承佛圣旨。

"阿难!如汝所言,四大和合,发明世间种种变化。阿难!若彼大性体非和合,则不能与诸大杂和,犹如虚空不和诸色;若和合者,同于变化,始终相成,生灭相续,生死死生,生生死死,如旋火轮未有休息。阿难!如水成冰,冰还成水。汝观地性,粗为大地，细为微尘，至邻虚尘，析彼极微，色边际相，七分所成，更析邻虚，即实空性。阿难！若此邻虚，析成虚空，当知虚空，出生色相。汝今问言：'由和合故，出生世间诸变化相。'汝且观此一邻虚尘，用几虚空和合而有？不应邻虚合成邻虚。又邻虚尘析入空者，用几色相合成虚空？若色合时，合色非空；若空合时，合空非色。色犹可析，空云何合？汝元不知如来藏中，性色真空，性空真色，清净本然，周遍法界；随众生心，应所知量，循业发现。世间无知，惑为因缘及自然性，皆是识心分别计度，但有言说，都无实义。"[10]

"阿难！火性无我，寄于诸缘。汝观城中未食之家，欲炊爨[11]时，手执阳燧[12]，日前求火。阿难！名和合者，如我与汝一千二百五十比丘今为一众，众虽为一，诘其根本，各各有身，皆有所生氏族名字，如舍利弗婆罗门种、优卢频螺迦叶波种，乃至阿难瞿昙种姓。阿难！若此火性因和合有，彼手执镜于日求火，此火为从镜中而出？为从艾出？为于日来？阿难！若日来者，自能烧汝手中之艾，来处林木皆应受焚。若镜中出，自能于镜出然于艾，镜何不镕？纡汝手执，尚无热相，云何融泮？若生于艾，何藉日镜、光明相接，然后火生？汝又谛观，镜因手执、日从天来、艾本地生，火从何方游历于此？日镜相远，非和非合，不应火光，无从自有。汝犹不知如来藏中，性火真空，性空真火，清净本然，周遍法界；随众生心，应所知量。阿难当知！世人一处执镜，一处火生，遍法界执，满世间起，起遍世间宁有方所，循业发现。世间无知，惑为因缘及自然性，皆是识心分别计度，但有言说，都无实义。"

"阿难！水性不定，流息无恒。如室罗城迦毗罗仙、斫迦罗仙及钵头摩诃萨多等诸大幻师，求太阴精，用和幻药，是诸师等，于白月昼，手执方诸，承月中水。此水为复从珠中出？空中自有？为从月来？阿难！若从月来，尚能远方令珠出水，所经林木皆应吐流。流，则何待方珠所出？不流，明水非从月降。若从珠出，则此珠中常应流水，何待中宵承白月昼？若从空生，空性无边，水当无际，从人洎天，皆同陷溺，云何复有水陆空行？汝更谛观，月从天陟，珠因手持，承珠水盘，本人敷设，水从何方流注于此？月珠相远，非和非合，不应水精，无从自有。汝尚不知如来藏中，性水真空，性空真水，清净本然，周遍法界；随众生心，应所知量，一处执珠，一处水出，遍法界执，满法界生，生满世间，宁有方所，循业发现。世间无知，惑为因缘及自然性，皆是识心分别计度，但有言说，都无实义。"

"阿难！风性无体，动静不常。汝常整衣，入于大众，僧伽梨[13]角，动及傍人，则有微风，拂彼人面。此风为复出袈裟角？发于虚空？生彼人面？阿难！此风若复出袈裟角，汝乃披风，其衣飞摇，应离汝体；我今说法，会中垂衣，汝看我衣，风何所在？不应衣中有藏风地。若生虚空，汝衣不动，何因无拂？空性常住，风应常生；若无风时，虚空当灭。灭风可见，灭空何状？若有生灭，不名虚空；名为虚空，云何风出？若风自生彼拂之面，从彼面生，当应拂汝，自汝整衣，云何倒拂？汝审谛观，整衣在汝，面属彼人，虚空寂然，不参流动，风自谁方鼓动来此？风空性隔，非和非合，不应风性，无从自有。汝宛不知如来藏中，性风真空，性空真风，清净本然，周遍法界；随众生心，应所知量。阿难！如汝一人，微动服衣，有微风出，遍法界拂，满国土生，周遍世间，宁有方所，循业发现。世间无知，惑为因缘及自然性，皆是识心分别计度,但有言说,都无实义。"

"阿难!空性无形,因色显发。如室罗城,去河遥处,诸刹利种及婆罗门、毗舍、首陀兼颇罗堕、旃陀罗等,新立安居,凿井求水,出土一尺,于中则有一尺虚空,如是乃至出土一丈,中间还得一丈虚空,空虚浅深,随出多少。此空为当因土所出?因凿所有?无因自生?阿难!若复此空无因自生,未凿土前何不无碍,唯见大地,迥无通达?若因土出,则土出时,应见空入,若土先出,无空入者,云何虚空因土而出?若无出入,则应空土,元无异因,无异则同,则土出时,空何不出?若因凿出,则凿出空,应非出土?不因凿出,凿自出土,云何见空?汝更审谛,谛审谛观,凿从人手,随方运转,土因地移,如是虚空因何所出?凿空虚实,不相为用,非和非合,不应虚空无从自出。若此虚空,性圆周遍,本不动摇,当知现前,地、水、火、风,均名五大,性真圆融,皆如来藏,本无生灭。阿难!汝心昏迷,不悟四大元如来藏,当观虚空,为出为入,为非出入。汝全不知如来藏中,性觉真空,性空真觉,清净本然,周遍法界,随众生心,应所知量。阿难!如一井空,空生一井,十方虚空,亦复如是,圆满十方,宁有方所,循业发现。世间无知,惑为因缘及自然性,皆是识心分别计度,但有言说,都无实义。"(《大佛顶如来密因修证了义诸菩萨万行首楞严经》卷二)

【注释】

[1]《首楞严经》:全称为《大佛顶如来密因修证了义诸菩萨万行首楞严经》,大乘佛教重要经典。本经阐明"根尘同源、缚脱无二"之理,并解说三摩提之法与菩萨之阶次。其内容初述

阿难至外地托钵行乞,遭受摩登伽女之诱惑,几将破戒。佛陀遂派遣文殊师利以神咒护持之。待阿难返回住所后,摩登伽女亦尾随而至。此时佛陀即为此女开示,而使之出家学道。本经最著名者为卷五之二十五圆通法门。本经文字精炼优美,宋代之后对士大夫阶层影响深远。

[2]般剌蜜帝:唐代译经僧,中印度人。辗转游化,东渡中国弘传佛法。唐中宗神龙元年(705),于广州制止道场译出《首楞严经》十卷,时由乌苌国沙门弥伽铄佉译语,居士房融笔受,沙门怀迪证义。

[3]阿难:佛陀十大弟子之一。全称阿难陀,系佛陀之堂弟,出家后二十余年间为佛陀之常随弟子,善记忆,对于佛陀之说法多能朗朗记诵,故被誉为"多闻第一"。阿难天生容貌端正,面如满月,眼如青莲花,虽已出家,却屡遭妇女之诱惑,《首楞严经》即由阿难受到女色迷惑而生发。佛陀灭度后,首次经典结集会中被选为诵出经文者,对于经法之传持功绩极大。

[4]十二处:指六根加六境。又作十二入、十二入处。"处"乃养育、生长之意。即长养心、心所之法,计分为十二种,乃眼、耳、鼻、舌、身、意、色、声、香、味、触、法等处。前六处为六根,系属主观之感觉器官,为心、心所之所依,有六内处之称;后六处为六境,属客观之觉知对象,为心、心所之所缘,称六外处。《首楞严经》的一个重要宗旨即是层层分析、破斥十二处的虚妄性,从而打破凡人的种种执着,证得真如本性。

[5]室罗筏城:又译为室罗伐城,即佛典旧译之舍卫国,传为释迦牟尼长年居留说法处。

[6]目连、迦叶:佛陀的两大弟子。目犍连,被誉为"神通第

一",本为古代印度摩揭陀国王舍城外拘律陀村人,婆罗门种,修习外道而不能证悟,后带250名弟子皈依佛陀。摩诃迦叶,身有金光,映蔽余光使不现,故亦名大饮光。修行头陀苦行,以"头陀第一"著称。后佛于灵山会上,拈花示众,大迦叶领会佛意而微笑,受佛正法眼藏,传佛心印,为印度禅宗初祖。

[7]爇(ruò):烧,点燃。

[8]醍醐:从酥酪中提制出的油。《大般涅槃经·圣行品》:"譬如从牛出乳,从乳出酪,从酪出生酥,从生酥出熟酥,从熟酥出醍醐。醍醐最上。"

[9]三性:"性"指一切存在之本性与状态。佛教认为一切法可分为善、不善、无记等三性,无记即非善非不善者,因其不能记为善或恶,故称无记。

[10]这一节阐明如来藏的宗旨,破斥小乘佛教对此问题的不究竟理解。所谓如来藏性即是色之真性,也是空之真性。色之与空,无非是性,无非是真。色并不待合而始有,空并不待析而始成,只是由于随缘常不变的原因,所以能够不变常随缘。因为随缘不变,所以称之为"如",因为不变随缘,所以称之为"来",因为其性具有十界染净功能,所以称之为"藏"。以下又从地水火风即方面作出分析。

[11]爨(cuàn):烧火做饭。

[12]阳燧:古代用铜制作的镜子形状的利用太阳取火的器具。

[13]僧伽梨:比丘所服"三衣"之一种,即大衣、复衣,由肩至膝束于腰间。

尔时，世尊普告众中诸大菩萨及诸漏尽大阿罗汉："汝等菩萨及阿罗汉，生我法中，得成无学。吾今问汝，最初发心悟十八界，谁为圆通？从何方便入三摩地？"

骄陈那五比丘即从座起，顶礼佛足，而白佛言："我在鹿苑及于鸡园[1]，观见如来最初成道，于佛音声悟明四谛[2]。佛问比丘，我初称解，如来印我名阿若多。妙音密圆，我于音声得阿罗汉。佛问圆通，如我所证，音声为上！"

优波尼沙陀即从座起，顶礼佛足而白佛言："我亦观佛最初成道，观不净相，生大厌离，悟诸色性，以从不净，白骨微尘，归于虚空，空色二无，成无学道，如来印我名尼沙陀。尘色既尽，妙色密圆，我从色相，得阿罗汉。佛问圆通，如我所证，色因为上！"

香严童子即从座起，顶礼佛足而白佛言："我闻如来教我谛观诸有为相。我时辞佛，宴晦清斋，见诸比丘，烧沉水香，香气寂然，来入鼻中，我观此气，非木、非空、非烟、非火，去无所著，来无所从，由是意销，发明无漏，如来印我，得香严号。尘气倏灭，妙香密圆，我从香严，得阿罗汉。佛问圆通，如我所证，香严为上！"

药王、药上二法王子并在会中五百梵天即从座起，顶礼佛足而白佛言："我无始劫，为世良医，口中尝此娑婆世界草木金石，名数凡有十万八千，如是悉知苦醋咸淡甘辛等味，并诸和合，俱生变异，是冷是热，有毒无毒，悉能遍知。承事如来，了知味性非空、非有、非即身心、非离身心，分别味因，从是开悟，蒙佛如来印我昆季药王、药上二菩萨名。今于会中，为法王子，因味觉明，位登菩萨。佛问圆通，如我所证，味因为上！"

跋陀婆罗并其同伴十六开士[3]即从座起，顶礼佛足而白佛言："我等先于威音王佛，闻法出家，于浴僧时，随例入室，忽悟水因，既不洗尘亦不洗体，中间安然，得无所有。宿习无忘，乃至今时，从佛出家，今得无学，彼佛名我跋陀婆罗。妙触宣明，成佛子住。佛问圆通，如我所证，触因为上！"

摩诃迦叶及紫金光比丘尼等即从座起，顶礼佛足而白佛言："我于往劫，于此界中，有佛出世，名日月灯，我得亲近，闻法修学，佛灭度后，供养舍利、然灯续明，以紫光金，涂佛形像，自尔已来，世世生生，身常圆满，紫金光聚，此紫金光比丘尼者，即我眷属，同时发心。我观世间，六尘变坏，唯以空寂，修于灭尽，身心乃能度百千劫，犹如弹指。我以空法，成阿罗汉。世尊说我头陀为最，妙法开明，销灭诸漏。佛问圆通，如我所证，法因为上！"[4]

阿那律陀即从座起，顶礼佛足而白佛言："我初出家，常乐睡眠，如来诃我为畜生类。我闻佛诃，啼泣自责，七日不眠，失其双目，世尊示我乐见照明金刚三昧，我不因眼观见十方，精真洞然，如观掌果，如来印我，成阿罗汉。佛问圆通，如我所证，旋见循元，斯为第一！"

周利槃特迦即从座起，顶礼佛足而白佛言："我阙诵持，无多闻性，最初值佛，闻法出家，忆持如来，一句伽陀[5]，于一百日，得前遗后、得后遗前，佛愍我愚，教我安居，调出入息。我时观息，微细穷尽，生住异灭，诸行刹那，其心豁然，得大无碍，乃至漏尽，成阿罗汉，住佛座下，印成无学。佛问圆通，如我所证，返息循空，斯为第一！"

骄梵钵提即从座起，顶礼佛足而白佛言："我有口业，于过去劫,轻弄沙门,世世生生,有牛呞病[6],如来示我,一味清净,心地法门,我得灭心,入三摩地,观味之知非体非物,应念得超世间诸漏,内脱身心,外遗世界,远离三有,如鸟出笼,离垢销尘,法眼清净,成阿罗汉,如来亲印,登无学道。佛问圆通,如我所证,还味旋知,斯为第一!"

毕陵伽婆蹉即从座起,顶礼佛足而白佛言:"我初发心,从佛入道,数闻如来,说诸世间不可乐事,乞食城中,心思法门,不觉路中,毒刺伤足,举身疼痛。我念有知,知此深痛,虽觉觉痛,觉清净心,无痛痛觉,我又思惟:如是一身,宁有双觉?摄念未久,身心忽空,三七日中,诸漏虚尽,成阿罗汉,得亲印记,发明无学。佛问圆通,如我所证,纯觉遗身,斯为第一!"

须菩提即从座起,顶礼佛足而白佛言:"我旷劫来,心得无碍,自忆受生,如恒河沙,初在母胎,即知空寂,如是乃至,十方成空,亦令众生,证得空性。蒙如来发性觉真空,空性圆明,得阿罗汉,顿入如来,宝明空海,同佛知见,印成无学,解脱性空,我为无上。佛问圆通,如我所证,诸相入非,非所非尽,旋法归无,斯为第一!"

舍利弗即从座起,顶礼佛足而白佛言:"我旷劫来,心见清净,如是受生,如恒河沙,世出世间,种种变化,一见则通,获无障碍。我于路中,逢迦叶波,兄弟相逐,宣说因缘,悟心无际,从佛出家,见觉明圆,得大无畏,成阿罗汉,为佛长子,从佛口生,从法化生。佛问圆通,如我所证,心见发光,光极知见,斯为第一!"

普贤菩萨即从座起,顶礼佛足而白佛言:"我已曾与恒沙如来为法王子,十方如来,教其弟子菩萨根者,修普贤行,从我立名。世尊！我用心闻，分别众生，所有知见，若于他方，恒沙界外，有一众生心中发明普贤行者，我于尔时，乘六牙象，分身百千，皆至其处，纵彼障深，未合见我，我与其人，暗中摩顶，拥护安慰，令其成就。佛问圆通，我说本因，心闻发明，分别自在，斯为第一！"

孙陀罗难陀即从座起，顶礼佛足而白佛言："我初出家，从佛入道，虽具戒律，于三摩提，心常散动，未获无漏。世尊教我及俱絺罗，观鼻端白。我初谛观，经三七日，见鼻中气，出入如烟，身心内明，圆洞世界，遍成虚净，犹如琉璃，烟相渐销，鼻息成白，心开漏尽，诸出入息，化为光明，照十方界，得阿罗汉，世尊记我，当得菩提。佛问圆通，我以销息，息久发明，明圆灭漏，斯为第一！"

富楼那弥多罗尼子即从座起，顶礼佛足而白佛言："我旷劫来，辩才无碍，宣说苦空，深达实相，如是乃至恒沙如来秘密法门，我于众中，微妙开示，得无所畏。世尊知我有大辩才，以音声轮，教我发扬，我于佛前，助佛转轮，因师子吼，成阿罗汉，世尊印我说法无上。佛问圆通，我以法音，降伏魔怨，销灭诸漏，斯为第一！"

优波离即从座起，顶礼佛足而白佛言："我亲随佛，逾城出家，亲观如来，六年勤苦，亲见如来，降伏诸魔，制诸外道，解脱世间，贪欲诸漏，承佛教戒，如是乃至三千威仪、八万微细，性业、遮业[1]悉皆清净，身心寂灭，成阿罗汉，我是如来，众中纲纪，亲印我心，持戒修身，众推无上。佛问圆通，我以执身，身得自在，次第执心，心得通达，然后身心一切通利，斯为第一！"

大目犍连即从座起，顶礼佛足而白佛言："我初于路乞食，逢遇优楼频螺、伽耶、那提三迦叶波,宣说如来因缘深义,我顿发心,得大通达。如来惠我袈裟著身,须发自落,我游十方,得无挂碍,神通发明,推为无上,成阿罗汉。宁唯世尊,十方如来,叹我神力,圆明清净,自在无畏。佛问圆通,我以旋湛心光发宣,如澄浊流,久成清莹,斯为第一!"

乌刍瑟摩于如来前,合掌顶礼佛之双足,而白佛言:"我常先忆,久远劫前,性多贪欲,有佛出世,名曰空王,说多淫人,成猛火聚,教我遍观,百骸四肢,诸冷暖气,神光内凝,化多淫心成智慧火,从是诸佛,皆呼召我,名为火头,我以火光三昧力故,成阿罗汉。心发大愿,诸佛成道,我为力士,亲伏魔怨。佛问圆通,我以谛观身心暖触,无碍流通,诸漏既销,生大宝焰,登无上觉,斯为第一!"

持地菩萨即从座起,顶礼佛足而白佛言:"我念往昔,普光如来出现于世,我为比丘,常于一切要路、津口、田地、险隘,有不如法,妨损车马,我皆平填,或作桥梁、或负沙土,如是勤苦,经无量佛出现于世,或有众生,于阛阓[8]处,要人擎物,我先为擎,至其所诣,放物即行,不取其直。毗舍浮佛[9]现在世时,世多饥荒,我为负人,无问远近,唯取一钱,或有车牛,被于陷溺,我有神力,为其推轮,拔其苦恼。时国大王,筵佛设斋,我于尔时,平地待佛,毗舍如来,摩顶谓我:'当平心地,则世界地一切皆平。'我即心开,见身微尘,与造世界,所有微尘等无差别,微尘自性,不相触摩,乃至刀兵,亦无所触,我于法性,悟无生忍,成阿罗汉。回心今入菩萨位中,闻诸如来,宣妙莲华,佛知见地,我先证明,而为上首。佛问圆通,我以谛观身界二尘,等无差别,本如来藏,虚妄发尘,尘销智圆,成无上道,斯为第一!"

月光童子即从座起,顶礼佛足而白佛言:"我忆往昔,恒河沙劫,有佛出世,名为水天,教诸菩萨,修习水精,入三摩地,观于身中,水性无夺,初从涕唾,如是穷尽津液、精血、大小便利,身中漩澓,水性一同,见水身中,与世界外浮幢王刹、诸香水海等无差别。我于是时,初成此观,但见其水,未得无身,当为比丘室中安禅。我有弟子,窥窗观室,唯见清水,遍在屋中,了无所见,童稚无知,取一瓦砾,投于水内,激水作声,顾盼而去,我出定后,顿觉心痛,如舍利弗遭违害鬼,我自思惟:今我已得阿罗汉道,久离病缘,云何今日,忽生心痛,将无退失?尔时,童子捷来我前,说如上事,我则告言:'汝更见水,可即开门,入此水中,除去瓦砾。'童子奉教,后入定时,还复见水,瓦砾宛然,开门除出,我后出定,身质如初。逢无量佛,如是至于山海自在通王如来,方得亡身,与十方界、诸香水海,性合真空,无二无别,今于如来,得童真名,预菩萨会。佛问圆通,我以水性,一味流通,得无生忍,圆满菩提,斯为第一!"

　　琉璃光法王子即从座起,顶礼佛足而白佛言:"我忆往昔,经恒沙劫,有佛出世,名无量声,开示菩萨,本觉妙明,观此世界,及众生身,皆是妄缘,风力所转。我于尔时,观界安立、观世动时、观身动止、观心动念,诸动无二,等无差别。我时了觉,此群动性,来无所从,去无所至,十方微尘,颠倒众生,同一虚妄,如是乃至三千大千,一世界内,所有众生,如一器中,贮百蚊蚋,啾啾乱鸣,于分寸中,鼓发狂闹。逢佛未几,得无生忍,尔时心开,乃见东方不动佛国,为法王子,事十方佛,身心发光,洞彻无碍。佛问圆通,我以观察,风力无依,悟菩提心,入三摩地,合十方佛,传一妙心,斯为第一!"

虚空藏菩萨即从座起，顶礼佛足而白佛言："我与如来，定光佛所，得无边身，尔时手执四大宝珠，照明十方，微尘佛刹，化成虚空，又于自心，现大圆镜，内放十种，微妙宝光，流灌十方，尽虚空际，诸幢王刹，来入镜内，涉入我身，身同虚空，不相妨碍。身能善入，微尘国土，广行佛事，得大随顺，此大神力，由我谛观，四大无依，妄想生灭，虚空无二，佛国本同，于同发明，得无生忍。佛问圆通，我以观察虚空无边，入三摩地，妙力圆明，斯为第一！"

弥勒菩萨即从座起，顶礼佛足而白佛言："我忆往昔，经微尘劫，有佛出世，名日月灯明，我从彼佛，而得出家，心重世名，好游族姓。尔时，世尊教我修习唯心识定，入三摩地，历劫已来，以此三昧，事恒沙佛，求世名心，歇灭无有。至然灯佛出现于世，我乃得成无上妙圆识心三昧，乃至尽空，如来国土，净秽有无，皆是我心变化所现。世尊！我了如是唯心识故，识性流出，无量如来，今得授记，次补佛处。佛问圆通，我以谛观十方唯识，识心圆明，入圆成实，远离依他，及遍计执，得无生忍，斯为第一！"

大势至法王子，与其同伦五十二菩萨即从座起，顶礼佛足而白佛言："我忆往昔，恒河沙劫，有佛出世，名无量光，十二如来，相继一劫，其最后佛，名超日月光。彼佛教我，念佛三昧。譬如有人，一专为忆，一人专忘，如是二人，若逢不逢，或见非见，二人相忆，二忆念深，如是乃至，从生至生，同于形影，不相乖异。十方如来，怜念众生，如母忆子，若子逃逝，虽忆何为？子若忆母，如母忆时，母子历生，不相违远。若众生心，忆佛念佛，现前当来，必定见佛，去佛不远，不假方便，自得心开，如染香人，身有香气,此则名曰,香光庄严。我本因地,以念佛心,入无生忍,今于此界,摄念佛人,归于净土。佛问圆通,我无选择,都摄六根,净念相继,得三摩地,斯为第一!"[10](卷五)

【注释】

[1]鹿苑及于鸡园:鹿苑,全称鹿野苑,在中天竺波罗奈国。释迦牟尼成道后,始来此说四谛之法,度憍陈如等五比丘。鸡园,佛教传说中的圣地。《中阿含经》云:"佛灭后,众多上尊名德比丘,皆住鸡园 。"

[2]四谛:又名四圣谛,原始佛教基本教义,即苦谛、集谛、灭谛、道谛。苦谛是说明人生多苦的真理,苦是现实宇宙人生的真相;集谛的集是集起的意思,人生的痛苦是由于凡夫自身的愚痴无明,和贪欲嗔恚等烦恼的掀动,而去造作种种的不善业,结果才会招集种种的痛苦;灭谛是说明涅槃境界才是多苦的人生最理想最究竟的归宿的真理,因涅槃是常住、安乐、寂静的境界;道谛是说明人要修道才能证得涅槃的真理,道主要指修习八正道。

[3]开士:菩萨的异名。以能自开觉,又可开他人生信心。后也用作对僧人的敬称。

[4]以上诸人,各自讲述自己开悟的机缘,分别从色、声、香、味、触、法等几方面,说明开悟可以根据自身的根基和机缘,身心的任何一个方面思维其理,一门深入,即可开悟。以下诸弟子于菩萨所述又从其他方面入手,其理皆同。共计二十五人讲述,故称"二十五圆通"。

[5]伽陀:亦作"伽他",梵语译音,即"偈",指佛经中的赞颂

之词。

[6]牛呞病：胃病的一种。指人把食物吃进胃里又吐了出来，犹如牛反刍一样的病症。

[7]性业、遮业：亦称性罪、遮罪。性业指自性之罪过，又作自性罪、性重、实罪。谓不论处于何种环境，若犯杀生、偷盗、邪淫、妄语等，均属本质之罪恶行为，称为性罪。反之，伴随性罪所引起之各种过失，或为避免世间之诽谤，而触犯释尊所制止之戒律，属轻微之罪，称为遮罪，如饮酒为一般视作遮罪。

[8]阛阓：街市，街道，商铺等。

[9]毗舍浮佛：又译为毗舍婆佛，过去七佛之第三佛。据《长阿含经》卷一《大本经》记载：其佛出世的时间，距今已三十一劫。

[10] 最后一节大势至菩萨一节，对于后世净土宗影响很大。近代印光法师将此节经文定名为《楞严经大势至菩萨念佛圆通章》，列为《净土五经》之一。本节阐释净土念佛法门"都摄六根，净念相继"的原理，专心致志、一心一意地念诵佛号，念而无念，念到能所双亡，即入佛之境界，一超直入，当下即是西方极乐世界。

《佛说譬喻经》[1]

[唐]义净[2] 译

如是我闻：一时薄伽梵[3]，在室罗伐城逝多林给孤独园。尔时世尊于大众中，告胜光王曰："大王！我今为王略说譬喻，诸有生死味著过患，王今谛听！善思念之。乃往过去，于无量劫，时有一人，游于旷野，为恶象所逐，怖走无依，见一空井，傍有树根，即寻根下，潜身井中。有黑白二鼠，互啮树根；于井四边有四毒蛇，欲螫其人；下有毒龙。心畏龙蛇，恐树根断。树根蜂蜜，五滴堕口，树摇蜂散，下螫斯人，野火复来，烧然此树。"

王曰："是人云何，受无量苦，贪彼少味？"

尔时世尊告言："大王！旷野者，喻于无明长夜旷远，言彼人者，喻于异生，象喻无常，井喻生死，险岸树根喻命，黑白二鼠以喻昼夜，啮树根者喻念念灭，其四毒蛇喻于四大，蜜喻五欲，蜂喻邪思，火喻老病，毒龙喻死。是故大王，当知生老病死，甚可怖畏，常应思念，勿被五欲之所吞迫。"

尔时世尊重说颂曰：

旷野无明路，人走喻凡夫，

大象比无常，井喻生死岸；

树根喻于命，二鼠昼夜同，

啮根念念衰，四蛇同四大；

蜜滴喻五欲，蜂螫比邪思，

火同于老病，毒龙方死苦。

智者观斯事，象可厌生津，

五欲心无著,方名解脱人。

镇处无明海,常为死王驱,

宁知恋声色,不乐离凡夫。

尔时胜光大王闻佛为说生死过患,得未曾有,深生厌离,合掌恭敬,一心瞻仰,白佛言:"世尊! 如来大慈,为说如是微妙法义,我今顶戴。"佛言:"善哉善哉! 大王! 当如说行,勿为放逸。"时胜光王及诸大众,皆悉欢喜,信受奉行。

【注释】

[1]《佛说譬喻经》,一卷,收录于《大正藏》第四册,内容为佛陀为胜光王说空井、树根、二鼠、四蛇、毒龙、蜜滴、蜂螫、火烧之喻,以对世间、生命之无常发起警醒、不可放逸之念。此喻南朝宋时求那跋陀罗所译《宾头卢突罗阇为优陀延王说法经》。

[2]义净(635~713):唐代著名译经僧。幼年出家,天性颖慧,遍访名德,博览群籍。年十五即仰慕法显、玄奘之西游,二十岁受具足戒。于咸亨二年(671)经由广州,取道海路至印度,一一巡礼鹫峰、鸡足山、鹿野苑、祇园精舍等佛教圣迹后,往那烂陀寺勤学十年,后又至苏门答腊游学七年。历游三十余国,返国时,携梵本经论约四百部、舍利三百粒至洛阳。其后参与多种经典的汉译工作,以律部典籍居多。著有《南海寄归内法传》四卷、《大唐西域求法高僧传》二卷。

[3]薄伽梵:即佛陀十号之一的"世尊"的音译,谓有德而为世所尊重者之意。薄伽梵具有自在、炽盛、端严、名称、吉祥、尊贵等六种意义,故采用音译。

《大方广佛华严经》[1]（节选）

[唐] 实叉难陀[2] 译

　　尔时，文殊师利菩萨问觉首菩萨言："佛子！心性是一。云何见有种种差别？所谓：往善趣、恶趣；诸根满、缺；受生同、异；端正、丑陋；苦、乐不同；业不知心，心不知业；受不知报，报不知受；心不知受，受不知心；因不知缘，缘不知因；智不知境，境不知智。"

　　时觉首菩萨以颂答曰：

仁今问是义，为晓悟群蒙，

我如其性答，惟仁应谛听。

诸法无作用，亦无有体性，

是故彼一切，各各不相知。

譬如河中水，湍流竞奔逝，

各各不相知，诸法亦如是。[3]

亦如大火聚，猛焰同时发，

各各不相知，诸法亦如是。

又如长风起，遇物咸鼓扇，

各各不相知，诸法亦如是。

又如众地界，展转因依住，

各各不相知，诸法亦如是。

眼耳鼻舌身，心意诸情根，

以此常流转，而无能转者。

法性本无生，示现而有生，
是中无能现，亦无所现物。
眼耳鼻舌身，心意诸情根，
一切空无性，妄心分别有。
如理而观察，一切皆无性，
法眼不思议，此见非颠倒。
若实若不实，若妄若非妄，
世间出世间，但有假言说。

尔时，文殊师利菩萨问财首菩萨言："佛子！一切众生非众生，云何如来随其时、随其命、随其身、随其行、随其解、随其言论、随其心乐、随其方便、随其思惟、随其观察，于如是诸众生中，为现其身，教化调伏？"

时财首菩萨以颂答曰：
此是乐寂灭，多闻者境界，
我为仁宣说，仁今应听受。
分别观内身，此中谁是我？
若能如是解，彼达我有无。
此身假安立，住处无方所，
谛了是身者，于中无所著。
于身善观察，一切皆明见，
知法皆虚妄，不起心分别。
寿命因谁起？复因谁退灭？
犹如旋火轮[4]，初后不可知。
智者能观察，一切有无常，
诸法空无我，永离一切相。

众报随业生，如梦不真实，
念念常灭坏，如前后亦尔。
世间所见法，但以心为主，
随解取众相，颠倒不如实。
世间所言论，一切是分别，
未曾有一法，得入于法性。
能缘所缘[5]力，种种法出生，
速灭不暂停，念念悉如是。

尔时，文殊师利菩萨问宝首菩萨言："佛子！一切众生，等有四大，无我、无我所。云何而有受苦、受乐，端正、丑陋，内好、外好，少受、多受，或受现报，或受后报？然法界中，无美、无恶。"

时宝首菩萨以颂答曰：
随其所行业，如是果报生，
作者无所有，诸佛之所说。
譬如净明镜，随其所对质，
现像各不同，业性亦如是。
亦如田种子，各各不相知，
自然能出生，业性亦如是。
又如巧幻师，在彼四衢道，
示现众色相，业性亦如是。
如机关木人[6]，能出种种声，
彼无我非我，业性亦如是。
亦如众鸟类，从谷而得出，
音声各不同，业性亦如是。

譬如胎藏中，诸根悉成就，

体相无来处，业性亦如是。

又如在地狱，种种诸苦事，

彼悉无所从，业性亦如是。

譬如转轮王，成就胜七宝，

来处不可得，业性亦如是。

又如诸世界，大火所烧然，

此火无来处，业性亦如是。

尔时，文殊师利菩萨问德首菩萨言："佛子！如来所悟，唯是一法。云何乃说无量诸法，现无量刹，化无量众，演无量音，示无量身，知无量心，现无量神通，普能震动无量世界，示现无量殊胜庄严，显示无边种种境界？而法性中，此差别相，皆不可得。"

时德首菩萨以颂答曰：

佛子所问义，甚深难可了，

智者能知此，常乐佛功德。

譬如地性一，众生各别住，

地无一异念，诸佛法如是。

亦如火性一，能烧一切物，

火焰无分别，诸佛法如是。

亦如大海一，波涛千万异，

水无种种殊，诸佛法如是。

亦如风性一，能吹一切物，

风无一异念，诸佛法如是。

亦如大云雷，普雨一切地，

雨滴无差别，诸佛法如是。

亦如地界一，能生种种芽，

非地有殊异，诸佛法如是。

如日无云曀[7]，普照于十方，

光明无异性，诸佛法如是。

亦如空中月，世间靡不见，

非月往其处，诸佛法如是。

譬如大梵王，应现满三千，

其身无别异，诸佛法如是[8]。（卷十三《菩萨问明品》）

【注释】

[1]《大方广佛华严经》：大乘佛教重要经典，也是中国佛教华严宗所依据的根本经典。此经以法界缘起、事事无碍等妙义为宗旨，为佛法之根本法轮，故称"称性本教"。此经有三种汉译本，即：（一）六十华严。凡六十卷。东晋佛驮跋陀罗译。又称《旧华严》，收于《大正藏》第九册。（二）八十华严。凡八十卷。唐代武则天时期实叉难陀译。又称《新华严》，收于《大正藏》第十册。较之旧译文辞流畅，义理更周，故流通较盛。一般所称《华严经》多指八十华严。（三）四十华严。凡四十卷。唐代贞元年间般若译。全称《大方广佛华严经入不思议解脱境界普贤行愿品》，《略称普贤行愿品》，收于《大正藏》第十册。内容记述善财童子历参五十五善知识，而成就普贤之行愿。此经只有这一品，但《普贤行愿品》非常重要，唯见于此译本，故一般将四十华严视为八十华严的补译。

[2]实叉难陀（652~710）：唐代译经三藏。于阗（新疆和阗）

人。证圣元年(695),持梵本《华严经》至洛阳,奉武则天之命,与菩提流志、义净等,于东都大内大遍空寺共译成汉文,是即《新译华严经》八十卷。此外另译有《大乘入楞伽经》等十九部佛经,凡一〇七卷。

[3]这一节的意思是说:前念与后念各不相知,因而前念所现的宇宙与后念所现的宇宙没有关联瓜葛,是独立的存在。"譬如河中水"几句用河中流水比喻。宇宙中前一个相喻作前流,后一个相喻作后流,前流与后流各不相知。这是由于前流和后流均无自性,皆是众缘和合,因而各不相知。而前后可以相牵流,牵引的力量就是因果定律。以下又用火、风、地等,说明宇宙万物之真相。一般人认为有一个实体存在是一种错觉,正是这种错觉导致心随物转,而产生生死轮回。

[4]旋火轮:持火旋转而呈现轮形,轮形似有而非实有,譬喻一切事法之假相。《楞严经》卷三:"生死死生,生生死死,如旋火轮,未有休息。"《摩诃止观》卷六:"为此见故,造众结业。堕坠三途,沈迴无已,如旋火轮。若欲息之,应当止手。"

[5]能缘、所缘:具有认识作用之主体为"能缘",被认识之客体对象为"所缘"。缘乃依赖、依靠、攀缘等意,即表示心识非独自生起,必攀缘外境(客体对象)方能产生作用。

[6]机关木人:木人,傀儡之意,或者如今日所谓"机器人"。人之身心系由五蕴假和合而形成,无有自性,犹如傀儡,比喻五蕴皆空。

[7]曀(yì):阴沉而有风。

[8]本品中,文殊师利所问数问题,实皆为众生对于佛法常常生出的疑惑,文殊师利代众生而问,其他菩萨分别用偈语来

回答,演说大乘佛法之真谛。

"善男子! 我观毗卢遮那如来[1],念念出现不可思议清净色身;既见是已,生大欢喜。又观如来于念念中,放大光明,充满法界;既见是已,生大欢喜。又见如来一一毛孔,念念出现无量佛刹微尘数光明海,一一光明以无量佛刹微尘数光明而为眷属,一一周遍一切法界,消灭一切诸众生苦;既见是已,生大欢喜。又,善男子! 我观如来顶及两肩,念念出现一切佛刹微尘数宝焰山云,充满十方一切法界;既见是已,生大欢喜。又,善男子! 我观如来一一毛孔,于念念中,出一切佛刹微尘数香光明云,充满十方一切佛刹;既见是已,生大欢喜。又,善男子! 我观如来一一相,念念出一切佛刹微尘数诸相庄严如来身云,遍往十方一切世界;既见是已,生大欢喜。又,善男子! 我观如来一一毛孔,于念念中,出不可说佛刹微尘数佛变化云,示现如来从初发心、修波罗蜜、具庄严道、入菩萨地;既见是已,生大欢喜。又,善男子! 我观如来一一毛孔,念念出现不可说不可说佛刹微尘数天王身云,及以天王自在神变,充遍一切十方法界,应以天王身而得度者,即现其前而为说法;既见是已,生大欢喜。如天王身云,其龙王、夜叉王、乾闼婆王、阿修罗王、迦楼罗王、紧那罗王、摩睺罗伽王、人王、梵王身云,莫不皆于一一毛孔,如是出现,如是说法;我见是已,于念念中,生大欢喜,生大信乐,量与法界萨婆若等。昔所未得而今始得,昔所未证而今始证,昔所未入而今始入,昔所未满而今始满,昔所未见而今始见,昔所未闻而今始闻。何以故?以能了知法界相故,知一切法唯一相故,能平等入三世道故,能说一切无边法故。[2]

200

"善男子！我入此菩萨念念出生广大喜庄严解脱光明海。又，善男子！此解脱无边，普入一切法界门故；此解脱无尽，等发一切智性心故；此解脱无际，入无际畔一切众生心想中故；此解脱甚深，寂静智慧所知境故；此解脱广大，周遍一切如来境故；此解脱无坏，菩萨智眼之所知故；此解脱无底，尽于法界之源底故。此解脱者即是普门，于一事中普见一切诸神变故；此解脱者终不可取，一切法身等无二故；此解脱者终无有生，以能了知如幻法故；此解脱者犹如影像，一切智愿光所生故；此解脱者犹如变化，化生菩萨诸胜行故；此解脱者犹如大地，为一切众生所依处故；此解脱者犹如大水，能以大悲润一切故；此解脱者犹如大火，干竭众生贪爱水故；此解脱者犹如大风，令诸众生速疾趣于一切智故；此解脱者犹如大海，种种功德庄严一切诸众生故；此解脱者如须弥山，出一切智法宝海故；此解脱者如大城廓，一切妙法所庄严故；此解脱者犹如虚空，普容三世佛神力故；此解脱者犹如大云，普为众生雨法雨故；此解脱者犹如净日，能破众生无知暗故；此解脱者犹如满月，满足广大福德海故；此解脱者犹如真如，悉能周遍一切处故；此解脱者犹如自影，从自善业所化出故；此解脱者犹如呼响，随其所应为说法故；此解脱者犹如影像，随众生心而照现故；此解脱者如大树王，开敷一切神通华故；此解脱者犹如金刚，从本已来不可坏故；此解脱者如如意珠，出生无量自在力故；此解脱者如离垢藏，摩尼宝王示现一切三世如来诸神力故；此解脱者如喜幢摩尼宝，能平等出一切诸佛法轮声故。善男子！我今为汝说此譬谕，汝应思惟，随顺悟入。"(节选自卷七十一《入法界品》)

【注释】

[1]毗卢遮那：法身之义，意译为"遍一切处"，相当于汉语的"道"。原意为太阳，故又意译为"大日如来"。据智者大师《法华经文句》所说，毗卢遮那是法身如来，卢舍那是报身如来，释迦牟尼是应身如来。

[2]本节所选文句在《华严经》中经常出现，显示了一真法界一多相即、小大互容等不可思议解脱境界。中国华严宗据此立华严十玄门，表示法界中事事无碍法界之相，通此义，则可入华严大经之玄海，故称玄门；又此十门相互为缘而起，故称缘起。十门相即相入，互为作用，互不相碍。十玄门包括：(一)同时具足相应门；(二) 广狭自在无碍门；(三) 一多相容不同门；(四)诸法相即自在门；(五)隐密显了俱成门；(六)微细相容安立门；(七)因陀罗网法界门；(八)托事显法生解门；(九)十世隔法异成门；(十)主伴圆明具德门。简言之，即时间、空间的障碍彻底打破、彻底贯通，一切法为平等一相的佛境界。

《地藏菩萨本愿经》[1]（节选）

[唐]实叉难陀 译

尔时，地藏菩萨摩诃萨白佛言："世尊！我承佛如来威神力故，遍百千万亿世界，分是身形，救拔一切业报众生。若非如来大慈力故，即不能作如是变化。我今又蒙佛付嘱，至阿逸多[2]成佛已来，六道众生，遣令度脱。唯然，世尊，愿不有虑。"

尔时，佛告地藏菩萨："一切众生，未解脱者，性识无定。恶习结业，善习结果，为善为恶，逐境而生。轮转五道，暂无休息，动经尘劫，迷惑障难。如鱼游网，将是长流，脱入暂出，又复遭网。以是等辈，吾当忧念。汝既毕是往愿，累劫重誓，广度罪辈，吾复何虑？"

说是语时，会中有一菩萨摩诃萨，名定自在王，白佛言："世尊！地藏菩萨累劫已来，各发何愿？今蒙世尊，殷勤赞叹。唯愿世尊，略而说之。"

尔时，世尊告定自在王菩萨："谛听！谛听！善思念之，吾当为汝分别解说。乃往过去，无量阿僧祇那由他不可说劫，尔时有佛，号一切智成就如来、应供、正遍知、明行足、善逝、世间解、无上士、调御丈夫、天人师、佛、世尊，其佛寿命六万劫。未出家时，为小国王，与一邻国王为友，同行十善，饶益众生。其邻国内，所有人民，多造众恶。二王议计，广设方便。一王发愿，早成佛道，当度是辈，令使无余。一王发愿，若不先度罪苦，令是安乐，得至菩提，我终未愿成佛。"

佛告定自在王菩萨："一王发愿早成佛者，即一切智成就如来是。一王发愿永度罪苦众生，未愿成佛者，即地藏菩萨是。复于过去，无量阿僧祇劫，有佛出世，名清净莲华目如来，其佛寿命四十劫。像法之中，有一罗汉，福度众生。因次教化，遇一女人，字曰光目，设食供养。罗汉问之：'欲愿何等？'光目答言：'我以母亡之日，资福救拔，未知我母生处何趣？'罗汉愍之，为入定观，见光目女母堕在恶趣，受极大苦。罗汉问光目言：'汝母在生，作何行业？今在恶趣，受极大苦。'光目答言：'我母所习，唯好食啖鱼鳖之属。所食鱼鳖多食其子，或炒或煮，恣情食啖。计其命数，千万复倍。尊者慈愍，如何哀救？'罗汉愍之，为作方便，劝光目言：'汝可志诚念清净莲华目如来，兼塑画形像，存亡获报。'"

"光目闻已，即舍所爱，寻画佛像，而供养之。复恭敬心，悲泣瞻礼。忽于夜后，梦见佛身，金色晃耀，如须弥山，放大光明，而告光目：'汝母不久，当生汝家，才觉饥寒，即当言说。'"

"其后家内，婢生一子，未满三日，而乃言说，稽首悲泣，告于光目：'生死业缘，果报自受。吾是汝母，久处暗冥，自别汝来，累堕大地狱。蒙汝福力，方得受生。为下贱人，又复短命，寿年十三，更落恶道。汝有何计，令吾脱免？'光目闻说，知母无疑，哽咽悲啼，而白婢子：'既是我母，合知本罪，作何行业，堕于恶道？'婢子答言：'以杀害、毁骂二业受报。若非蒙福，救拔吾难，以是业故，未合解脱。'光目问言：'地狱罪报，其事云何？'婢子答言：'罪苦之事，不忍称说，百千岁中，卒白难竟。'"

"光目闻已，啼泪号泣，而白空界：'愿我之母，永脱地狱。毕十三岁，更无重罪，及历恶道。十方诸佛，慈哀愍我，听我为母所发广大誓愿：若得我母永离三涂，及斯下贱，乃至女人之身，永劫不受者，愿我自今日后，对清净莲华目如来像前，却后百千万亿劫中，应有世界，所有地狱，及三恶道，诸罪苦众生，誓愿救拔，令离地狱恶趣、畜生、饿鬼等。如是罪报等人，尽成佛竟，我然后方成正觉。'"

"发誓愿已，具闻清净莲华目如来而告之曰：'光目！汝大慈愍，善能为母发如是大愿。吾观汝母，十三岁毕，舍此报已，生为梵志，寿年百岁。过是报后，当生无忧国土，寿命不可计劫。后成佛果，广度人天，数如恒河沙。'"

佛告定自在王："尔时罗汉福度光目者，即无尽意菩萨是。光目母者，即解脱菩萨是。光目女者，即地藏菩萨是。过去久远劫中，如是慈愍，发恒河沙愿，广度众生。未来世中，若有男子女人，不行善者，行恶者，乃至不信因果者，邪淫妄语者，两舌恶口者，毁谤大乘者，如是诸业众生，必堕恶趣。若遇善知识，劝令一弹指间归依地藏菩萨，是诸众生，即得解脱三恶道报。若能志心归敬，及瞻礼赞叹，香华衣服，种种珍宝，或复饮食，如是奉事者，未来百千万亿劫中，常在诸天受胜妙乐。若天福尽，下生人间，犹百千劫，常为帝王，能忆宿命因果本末。定自在王，如是地藏菩萨，有如此不可思议大威神力，广利众生，汝等诸菩萨，当记是经，广宣流布。"

定自在王白佛言："世尊！愿不有虑。我等千万亿菩萨摩诃萨，必能承佛威神，广演是经于阎浮提，利益众生。"

定自在王菩萨白世尊已，合掌恭敬，作礼而退。

尔时，四方天王[3]，俱从座起，合掌恭敬，白佛言："世尊！地藏菩萨于久远来，发如是大愿，云何至今，犹度未绝，更发广大誓言？唯愿世尊,为我等说。"

佛告四天王:"善哉！善哉！吾今为汝,及未来现在天人众等,广利益故,说地藏菩萨于娑婆世界,阎浮提内,生死道中,慈哀救拔,度脱一切罪苦众生方便之事。"

四天王言:"唯然,世尊！愿乐欲闻。"

佛告四天王:"地藏菩萨久远劫来,迄至于今,度脱众生,犹未毕愿。慈愍此世罪苦众生,复观未来无量劫中,因蔓不断,以是之故,又发重愿。如是菩萨,于娑婆世界,阎浮提中,百千万亿方便,而为教化。"

"四天王！地藏菩萨若遇杀生者,说宿殃短命报。若遇窃盗者,说贫穷苦楚报。若遇邪淫者,说雀鸽鸳鸯报。若遇恶口者,说眷属斗诤报。若遇毁谤者,说无舌疮口报。若遇嗔恚者,说丑陋癃残报。若遇悭吝者,说所求违愿报。若遇饮食无度者,说饥渴咽病报。若遇畋猎恣情者,说惊狂丧命报。若遇悖逆父母者,说天地灾杀报。若遇烧山林木者,说狂迷取死报。若遇前后父母恶毒者,说返生鞭挞现受报。若遇网捕生雏者,说骨肉分离报。若遇毁谤三宝者,说盲聋喑哑报。若遇轻法慢教者,说永处恶道报。若遇破用常住[4]者,说亿劫轮回地狱报。若遇污梵诬僧[5]者,说永在畜生报。若遇汤火斩斫伤生者,说轮回递偿报。若遇破戒犯斋者,说禽兽饥饿报。若遇非理毁用者,说所求阙绝报。若遇吾我贡高者,说卑使下贱报。若遇两舌斗乱者,说无舌百舌报。若遇邪见者,说边地受生报。如是等阎浮提众生,身口意业,恶习结果,百千报应,今粗略说。[6]如是等阎浮提众生,业感差别,地藏菩萨百千方便,而教化之。是诸众生,先受如是等报,后堕地狱,动经劫数,无有出期。是故汝等,护人护国,无令是诸众业,迷惑众生。"

四天王闻已,涕泪悲叹,合掌而退。(卷上《阎浮众生业感品》)

【注释】

[1]《地藏菩萨本愿经》:凡二卷,略称《地藏经》。唐代实叉难陀译,收于《大正藏》第十三册。地藏菩萨为受释迦牟尼之付嘱,于释尊圆寂后至弥勒菩萨成道间之无佛时代,自誓度尽六道众生始愿成佛之大菩萨。本经叙说地藏菩萨之本愿功德,及本生之誓愿,强调读诵此经可获得不可思议之利益,消灭无量之罪业。本经内容所叙述之地狱景况与地藏菩萨之性格,甚能融合民间之通俗信仰,故广为普及。

[2]阿逸多:即弥勒菩萨。为佛陀弟子之一。又译为阿氏多、阿恃多等。或谓弥勒为姓,意译为"慈氏","阿逸多"为名,意译为"无能胜",故其姓和名合起来,是"慈悲无人能胜过他"。据佛经载,弥勒将于未来久远人寿为八万岁时成佛,号为弥勒如来。

[3]四方天王:佛典谓欲界护持佛法的四位天王。据于须弥山腰四方,各护一天下,因之称为护世四天王,为六欲天第一层。四天王分别名为东方持国天王、南方增长天王、西方广目天王、北方多闻天王,皆为佛教之护法神。

[4]常住:佛教寺院中担任支配、运作日常事务之住众为常住,亦指常备供僧伽受用之物。破用常住即指偷盗、损坏常住受用之物,因僧人为佛法在世间的代表,故破用常住的恶报很大。

[5]污梵诬僧:梵指清净修行者,僧为和合众。污梵诬僧即亵渎、毁谤梵僧。

[6]这段经文讲解世间各种恶行将遭受的果报。

《大乘本生心地观经》[1]（节选）

[唐]般若[2] 译

"善男子！三界之中以心为主，能观心者究竟解脱，不能观者究竟沉沦。众生之心犹如大地，五谷五果从大地生。如是心法，生世出世善恶五趣，有学无学、独觉菩萨及于如来。以是因缘，三界唯心，心名为地。一切凡夫，亲近善友闻心地法，如理观察，如说修行，自作教佗赞励庆慰，如是之人能断三障速圆众行，疾得阿耨多罗三藐三菩提。"

尔时，大圣文殊师利菩萨白佛言："世尊！如佛所说，唯将心法为三界主。心法本无，不染尘秽，云何心法染贪嗔痴？于三世法谁说为心？过去心已灭，未来心未至，现在心不住。诸法之内性不可得，诸法之外相不可得，诸法中间都不可得。心法本来无有形相，心法本来无有住处；一切如来尚不见心，何况余人得见心法？一切诸法从妄想生，以是因缘，今者世尊，为大众说三界唯心。愿佛哀愍，如实解说。"

尔时，佛告文殊师利菩萨言："如是如是，善男子！如汝所问，心心所法本性空寂，我说众喻以明其义。善男子！心如幻法，由遍计生，种种心想，受苦乐故。心如流水，念念生灭，于前后世，不暂住故。心如大风，一刹那间，历方所故。心如灯焰，众缘和合而得生故。心如电光，须臾之顷，不久住故。心如虚空，客尘烦恼所覆障故。心如猿猴，游五欲树，不暂住故。心如画师，能画世间种种色故。心如僮仆，为诸烦恼所策役故。心如独

208

行，无第二故。心如国王，起种种事，得自在故。心如怨家，能令自身受大苦故。心如埃尘，坌污自身，生杂秽故。心如影像，于无常法，执为常故。心如幻梦，于无我法，执为我故。心如夜叉，能啖种种功德法故。心如青蝇，好秽恶故。心如杀者，能害身故。心如敌对，常伺过故。心如盗贼，窃功德故。心如大鼓，起斗战故。心如飞蛾，爱灯色故。心如野鹿，逐假声故。心如群猪，乐杂秽故。心如众蜂，集蜜味故。心如醉象，耽牝触故。"[3]

"善男子！如是所说，心、心所法[4]，无内无外，亦无中间，于诸法中，求不可得，去来现在，亦不可得，超越三世，非有非无，常怀染著，从妄缘现，缘无自性，心性空故。如是空性，不生不灭，无来无去，不一不异，非断非常，本无生处，亦无灭处，亦非远离，非不远离，如是心等，不异无为，无为之体不异心等。心法之体，本不可说，非心法者，亦不可说。何以故？若无为是心，即名断见，若离心法，即名常见。永离二相，不著二边，如是悟者，名见真谛，悟真谛者，名为贤圣。一切贤圣，性本空寂，无为法中，戒无持犯，亦无大小，无有心王，及心所法，无苦无乐。如是法界，自性无垢，无上中下，差别之相。何以故？是无为法，性平等故。如众河水，流入海中，尽同一味，无别相故。此无垢性，是无等等，远离于我，及离我所[5]。此无垢性，非实非虚，此无垢性，是第一义，无尽灭相，体本不生。此无垢性，常住不变，最胜涅槃，我乐净故。此无垢性，远离一切，平不平等，体无异故。若有善男子、善女人，欲求阿耨多罗三藐三菩提者，应当一心修习如是心地观法。"

尔时，世尊欲重宣此义，而说偈言：

三世觉母妙吉祥[6]，请问如来心地法，

209

我今于此大会众，开演成佛观行门。
此法难遇过优昙[7]，一切世间应渴仰，
十方诸佛证大觉，无不从此法修成。
我是无上调御师，转正法轮周世界，
化度无量诸众生，当知由悟心地观。
一切有情闻此法，欣趣菩提得授记，
一切有缘得记人，修此观门当作佛。
诸佛自受大法乐，住心地观妙宝宫，
受职菩萨悟无生，观心地门遍法界，
后身菩萨坐觉树，入此观行证菩提。
此法能雨七圣财[8]，满众生愿摩尼宝；
此法名为佛本母，出生三世三佛身；
此法名为金刚甲，能敌四众诸魔军；
此法能作大舟航，令渡中流至宝所；
此法最胜大法鼓；此法高显大法幢；
此法金刚大法螺；此法照世大法炬；
此法犹如大圣主，赏功罚过顺人心；
此法犹如沃润田，生成长养依时候。
我以众喻明空义，是知三界唯一心，
心有大力世界生，自在能为变化主。
恶想善心更造集，过现未来生死因，
依止妄业有世间，爱非爱果恒相续。
心如流水不暂住，心如飘风过国土，
亦如猿猴依树戏，亦如幻事依幻成，
如空飞鸟无所碍，如空聚落人奔走。

如是心法本非有，凡夫执迷谓非无，

若能观心体性空，惑障不生便解脱。(卷八《观心品》)

【注释】

[1]《大乘本生心地观经》：凡八卷。唐代般若译。略称《本生心地观经》《心地观经》。今收于《大正藏》第三册。乃释迦如来于耆阇崛山，为文殊师利、弥勒等诸大菩萨叙述出家住阿兰若者，如何观心地、灭妄想，而成佛道。

[2]般若(734~?)：唐代译经僧，又称般剌若。北印度迦毕试国(罽宾)人，姓乔答摩。于唐德宗建中二年(781)抵达广州，旋入长安。翻译《大乘理趣六波罗蜜多经》等多种经典，被赐予"般若三藏"之号。

[3]本经意在演说"三界唯心"之宗旨，但"心"是看不见摸不着的，难以把捉，因此，在文殊师利菩萨的祈请下，如来为大众说心之相貌，这一节文字用种种比喻来形容心，将心的种种功能、状态、善恶等等揭示出来，所谓"我以众喻明空义，是知三界唯一心"。

[4]心：又称"心王"，心的主作用，叫做"心王"；心的副作用，亦即为心所有的思想现象，叫做"心所"。心所即心所有法的简称，也就是为心所有的各种心理现象，共有五十一法，即遍行五，别境五，善心所十一，烦恼六，随烦恼二十，不定四。以上是佛教对于"心"的划分方法。

[5]我：众生所执为实体的存在，又称为"我执"。佛教主张无我说，明示存在与缘起性之关系，否定永远存续(常)、自主独立存在(一)、中心之所有主(主)、支配一切(宰)等性质，而

强调"我"之不存在、不真实。我所,即"我的"。即以自身为我,谓自身以外之物皆为我所有。于佛教中,我与我所,被认为系一切世俗分别之基本分别,故为破除之对象。

[6]三世觉母妙吉祥:指文殊师利菩萨。佛典谓文殊师利菩萨久已成佛,且为三世诸佛之母。"妙吉祥"是"文殊"或"曼殊"的意译。

[7]优昙:即优昙钵花。其花隐于花托内,一开即敛,不易看见。佛教以为优昙钵开花是佛的瑞应,称为祥瑞花。苏辙《那咤》:"佛如优昙难值遇,见者闻道出生死。"

[8]七圣财:又作七财、七德财、七法财。谓成就佛道之七种圣法。即信、戒、惭、愧、闻、施、慧七者。以其所持之法能资助成佛,故称为财。

《大方广佛华严经》(节选)

[唐]般若 译

"善男子！我若欲见安乐世界无量寿如来[1]，随意即见；我若欲见白栴檀香世界月智如来、妙香世界宝光明如来、莲华世界宝莲华光明如来、妙金光世界寂静光如来、妙喜世界不动如来、善住世界师子相如来、镜光明世界月觉如来、吉祥师子宝庄严世界毗卢遮那如来。如是十方一切世界所有如来，我若欲见，随意即见；然彼如来不来至此，我不往彼。"

"善男子！我若欲见尽过去际一切劫中，所有诸佛及彼佛刹种种庄严道场众会，神通变化，调伏众生；尽未来际一切劫海，所有如来及诸菩萨庄严国土众会道场，调伏众生，神通变化；如是一切随念皆见。彼诸如来及彼诸劫，一切佛刹所有庄严，种种差别，不来至今，我心亦不入彼过、未；然其所见，皆如现在。"

"善男子！我能了知十方三世一切如来及诸菩萨国土庄严、神通等事，无所从来亦无所去，无有行处亦无住处，亦知己身无去无来，无行住处。所以者何？知一切佛及与我心皆如梦故，如梦所见，从分别生。见一切佛从自心起，又知自心如器中水，悟解诸法如水中影；又知自心犹如幻术，知一切法如幻所作；又知自心诸佛菩萨悉皆如响，譬如空谷随声发响，悟解自心，随念见佛，我如是知，如是忆念，所见诸佛皆由自心。善男子！当知菩萨修诸佛法，净诸佛刹，积集妙行，调伏众生，发大

213

誓愿，入一切智，自在游戏不可思议解脱法门，得佛菩提，现大神通，遍往十方一切法界，以微细智，普入诸劫，如是一切佛菩萨法，皆由自心。"

"善男子！诸业虚妄，积集名心，末那思量，意识分别[2]，眼等五识，了境不同。愚痴凡夫，不能觉知，怖老病死，求入涅槃；生死涅槃二俱不识，于一切境妄起分别。又由未来诸根五尘境界断灭，凡愚之人以为涅槃，诸佛菩萨自证悟时，转阿赖耶[3]得本觉智。善男子！一切凡愚，迷佛方便，执有三乘，不了三界由心所起，不知三世一切佛法自心现量，见外五尘执为实有，犹如牛羊不能觉知，生死轮中无由出离。"

"善男子！佛说诸法无生无灭，亦无三世，何以故？如自心现五尘境界，本无有故；有无诸法本不生故，如兔角[4]等；圣者自悟境界如是。善男子！愚痴凡夫妄起分别，无中执有，有中执无，取阿赖耶种种行相，堕于生灭二种见中，不了自心而起分别。善男子！当知自心即是一切佛菩萨法，由知自心即佛法故，则能净一切刹，入一切劫。是故，善男子！应以善法扶助自心，应以法雨润泽自心，应以妙法治净自心，应以精进坚固自心，应以忍辱卑下自心，应以禅定清净自心，应以智慧明利自心，应以佛德发起自心，应以平等广博自心，应以十力、四无所畏明照自心。"

"善男子！我唯于此如来甚深无碍庄严解脱法门，自在入出；如诸菩萨摩诃萨住无碍智，行无碍行，于诸境界无不通达，现前常得见一切佛广大三昧，住一切佛无涅槃际，成正觉门；普遍了知诸三昧海，所有境界能随观察，三世诸法悉皆平等；分身遍往一切刹海，入于诸佛无分别处，一切境界皆悉现前，常能观察一切诸法,以圆满智尽能说行一切菩萨功德行愿,于其身中悉能显现一切世界成坏之相,而于自身及彼世界不生二想;如是妙行,而我云何能知、能说?"(卷六《入不思议解脱境界普贤行愿品》节选)

【注释】

[1]本节文字为善财童子参访解脱长者时,解脱长者所说。安乐世界无量寿如来即西方极乐世界阿弥陀佛。以下列举白栴檀香等世界诸佛,谓皆能随意即见,所显现的也是不可思议华严境界。究其实,即为下文所说"悟解自心",自心包含一切法门,悟解自心即能入一切智,自在游戏。这一段经文实为指导众生破迷开悟的要法。

[2]积集名心,末那思量,意识分别:这是佛教对众生妄心的分析。心为"积集"之意,"末那"为梵语 manas 之音译,意译为"意",思量之义。佛教唯识宗将有情之心识立为八种,末那识为八识(眼、耳、鼻、舌、身、意、末那、阿赖耶)中之第七识,其功能在于执着。

[3]阿赖耶:佛教唯识宗所立八识之第八,意译为藏识或本识。此识为宇宙万有之本,含藏万有,使之存而不失,故称藏识。又因其能含藏生长万有之种子,故亦称种子识。它是一切有情生命之所寄托,在一期生死中,最先来,最后去,并不随生死而消失。一般佛教宗派认为阿赖耶识由如来藏与无明和合而生,第七末那识将其执为自我,如能够放弃我执和法执,即破除无明,即"转阿赖耶得本觉智"。

[4]兔角:佛教著名比喻。愚人误以兔耳为角,实则无角,用

215

来譬物之必无。《大智度论》卷十二："又如兔角龟毛,亦但有名而无实。"

　　尔时,观自在菩萨[1]遥见善财[2],告言:"善哉!善来童子!汝发大乘意,普摄众生;起正直心,专求佛法,大悲深重救护一切;住不思议最胜之行,普能拯拔生死轮回,超过世间无有等比。普贤妙行相续现前,大愿深心圆满清净,勤求佛法悉能领受,积集善根恒无厌足,顺善知识不违其教。从文殊师利功德智慧大海所生,其心成熟得佛威力,已获广大三昧光明,专意希求甚深妙法,常见诸佛生大欢喜,智慧清净犹如虚空。既自明了复为他说,安住如来智慧光明,受持修行一切佛法,福智宝藏自然而至,一切智道速得现前,普观众生心无懈倦,大悲坚固犹若金刚。"

　　尔时,善财童子诣菩萨所,礼菩萨足,绕无数匝,合掌而住,白言:"圣者!我已先发阿耨多罗三藐三菩提心,而未知菩萨云何学菩萨行,云何修菩萨道;我闻圣者善能教诲,愿为我说。"

　　尔时,观自在菩萨摩诃萨放阎浮檀金妙色光明,起无量色宝焰网云,及龙自在妙庄严云以照善财。即舒右手摩善财顶,告善财言:"善哉!善哉!善男子!汝已能发阿耨多罗三藐三菩提心。善男子!我已成就菩萨大悲速疾行解脱门。善男子!我以此菩萨大悲行门,平等教化一切众生,摄受调伏,相续不断。善男子!我恒住此大悲行门,常在一切诸如来所,普现一切诸众生前,随所应化而为利益:或以布施摄取众生,或以爱语摄取众生,或以利行摄取众生,或以同事[3]摄取众生,或现种种微妙色身摄取众生,或现种种不思议色净光明网摄取众生,或以音声善巧言辞,或以威仪胜妙方便,或为说法,或现神变令其开悟而得成熟,或为化现种种色相、种种族姓、种种生处、同类之形,与其共居而成熟之。

"善男子!我修习此大悲行门,愿常救护一切众生,令离诸怖。所谓:愿一切众生离险道怖,离热恼怖,离迷惑怖,离系缚怖,离杀害怖,离王官怖,离贫穷怖,离不活怖,离恶名怖,离于死怖,离诸病怖,离懈怠怖,离黑暗怖,离迁移怖,离爱别怖,离怨会怖,离逼迫身怖,离逼迫心怖,离忧悲愁叹怖,离所求不得怖,离大众威德怖,离流转恶趣怖。复作是愿:愿诸众生若念于我、若称我名、若见我身,皆得免离一切恐怖,灭除障难,正念现前。善男子!我以如是种种方便令诸众生离诸怖畏,住于正念;复教令发阿耨多罗三藐三菩提心,至不退转。"

尔时,观自在菩萨摩诃萨欲重明此解脱门义,为善财童子而说偈言:

善来调伏身心者,稽首赞我而右旋,
我常居此宝山中,住大慈悲恒自在。
我此所住金刚窟,庄严妙色众摩尼,
常以勇猛自在心,坐此宝石莲华座。
天龙及以修罗众,紧那罗王罗刹等,
如是眷属恒围绕,我为演说大悲门。
汝能发起无等心,为见我故而来此,
爱乐至求功德海,礼我双足功德身,
欲于我法学修行,愿得普贤真妙行。
我是勇猛观自在,起深清净大慈悲,

普放云网妙光明，广博如空极清净。
我垂无垢佣圆臂，百福妙相具庄严，
摩汝深信善财顶，为汝演说菩提法。
佛子应知我所得，一相一味解脱门，
名为诸佛大悲云，秘密智慧庄严藏。
我为精勤常救护，起诸弘誓摄众生，
怜愍一切如己身，常以普门随顺转。
我于无数众苦厄，常能救护诸群生，
心念礼敬若称名，一切应时皆解脱。
或遭牢狱所禁系，杻械囚执遇怨家，
若能至心称我名，一切诸苦皆销灭。
或犯刑名将就戮，利剑毒箭害其身，
称名应念得加持，弓矢锋刃无伤害。
或有两竞诣王官，净讼一切诸财宝，
彼能至诚称念我，获于胜理具名闻。
或于内外诸亲属，及诸朋友共为怨，
若能至诚称我名，一切怨家不能害。
或在深林险难处，怨贼猛兽欲伤残，
若能至心称我名，恶心自息无能害。
或有怨家怀忿毒，推落险峻大高山，
若能至心称我名，安处虚空无损坏。
或有怨家怀忿毒，推落深流及火坑，
若能至心称我名，一切水火无能害。
若有众生遭厄难，种种苦具逼其身，
若能至心称我名，一切解脱无忧怖。

或为他人所欺谤，常思过失以相仇，
若能至心称我名，如是怨嫌自休息。
或遭鬼魅诸毒害，身心狂乱无所知，
若能至心称我名，彼皆销灭无诸患。
或被毒龙诸鬼众，一切恐怖夺其心，
若能至诚称我名，乃至梦中皆不见。
若有诸根所残缺，愿得端严相好身，
若能至诚称我名，一切所愿皆圆满。
若有愿于父母所，承顺颜色志无违，
欢荣富乐保安宁，珍宝伏藏恒无尽。
内外宗族常和合，一切怨隙不来侵，
若能至诚称我名，一切所愿皆圆满。
若人愿此命终后，不受三涂八难^[4]身，
恒处人天善趣中，常行清净菩提道。
有愿舍身生净土，普现一切诸佛前，
普于十方佛刹中，常为清净胜萨埵，
普见十方一切佛，及闻诸佛说法音，
若能至诚称我名，一切所愿皆圆满。
或在危厄多忧怖，日夜六时称我名，
我时现住彼人前，为作最胜归依处，
彼当生我净佛刹，与我同修菩萨行，
由我大悲观自在，令其一切皆成就。
或清净心兴供养，或献宝盖或烧香，
或以妙华散我身，当生我刹为应供。
或生浊劫无慈愍，贪嗔恶业之所缠，

种种众苦极坚牢,百千系缚恒无断。

彼为一切所逼迫,赞叹称扬念我名,

由我大悲观自在,令诸惑业皆销灭。

或有众生临命终,死相现前诸恶色,

见彼种种色相已,令心惶怖无所依,

若能至诚称我名,彼诸恶相皆销灭。

由我大悲观自在,令生天人善道中,

此皆我昔所修行,愿度无量群生众,

勇猛精勤无退转,令其所作皆成就。

若有如应观我身,令其应念咸皆见,

或有乐闻我说法,令闻妙法量无边。

一切世界诸群生,心行差别无央数,

我以种种方便力,令其闻见皆调伏。

我得大悲解脱门,诸佛证我已修学,

其余无量功德海,非我智慧所能知。

善财汝于十方界,普事一切善知识,

专意修行无懈心,听受佛法无厌足。

若能闻法无厌足,则能普见一切佛,

云何见佛志无厌,由听妙法无厌足。**(卷十六《入不思议解脱境界普贤行愿品》)**

【注释】

[1]观自在菩萨:即观世音菩萨。早期佛教经典皆译为观世音、观音或光世音。自唐代玄奘始,译为观自在。是一位在娑婆世界以慈悲救济众生为本愿之大菩萨。如《法华经》卷七《观世

音菩萨普门品》和本经，都详说此菩萨于娑婆世界利益众生之事，谓受苦众生一心称名，观世音菩萨即时观其音声，令得解脱；若有所求，亦皆令得。其于理事无碍之境，观达自在，故又称观自在菩萨。

[2]善财：据佛经载，善财童子为福城长者之子，于入胎及出生时，种种珍宝自然涌现，故称之为善财。善财为华严经入法界品中之求道菩萨，曾南行参访五十五位善知识，遇普贤菩萨而成就佛道。大乘佛教用以作为即身成佛之例证。

[3]同事：即同事摄，指菩萨随应众生之机缘而示现，和光同尘，与一切众生共事，令得利益，由此因缘，菩萨得以摄受众生，众生亦因之依从菩萨信受教法，而得入于涅槃之境。

[4]三涂八难：三涂即三途，又称三恶道，即地狱、饿鬼、畜生道。八难指不得遇佛、不闻正法之八种障难。具体包括：（一）在地狱难，众生因恶业所感，堕于地狱，长夜冥冥而受苦无间，不得见佛闻法。（二）在饿鬼难，饿鬼有三种：（1）业最重之饿鬼，长劫不闻浆水之名。（2）业次重之饿鬼，唯在人间伺求荡涤脓血粪秽。（3）业轻之饿鬼，时或一饱，加以刀杖驱逼，填河塞海，受苦无量。（三）在畜生难，畜生种类不一，亦各随因受报，或为人畜养，或居山海等处，常受鞭打杀害，或互相吞啖，受苦无穷。（四）在长寿天难，此天以五百劫为寿，即色界第四禅中之无想天。无想者，以其心想不行，如冰鱼蛰虫，外道修行多生其处，而障于见佛闻法。（五）在边地之郁单越难，郁单越，译为胜处，生此处者，其人寿千岁，命无中天，贪著享乐而不受教化，是以圣人不出其中，不得见佛闻法。（六）盲聋喑哑难，此等人虽生中国，而业障深重，盲聋喑哑，诸根不具，虽值佛出世，

而不能见佛闻法。(七)世智辩聪难,谓虽聪利,唯务耽习外道经书,不信出世正法。(八)生在佛前佛后难,谓由业重缘薄,生在佛前佛后,不得见佛闻法。

"复次,善男子!言恒顺众生者[1]:谓尽法界、虚空界十方刹海,所有众生种种差别,所谓:卵生、胎生、湿生、化生,或有依于地、水、火、风而生住者,或有依空及诸卉木而生住者,种种生类、种种色身、种种形状、种种相貌、种种寿量、种种族类、种种名号、种种心性、种种知见、种种欲乐、种种意行、种种威仪、种种衣服、种种饮食,处于种种村营、聚落、城邑、宫殿,乃至一切天龙八部[2]、人、非人等,无足、二足、四足、多足,有色、无色,有想、无想、非有想、非无想,如是等类,我皆于彼随顺而转,种种承事,种种供养,如敬父母,如奉师长,及阿罗汉乃至如来,等无有异。于诸病苦为作良医,于失道者示其正路,于闇夜中为作光明,于贫穷者令得伏藏,菩萨如是平等饶益一切众生。何以故?菩萨若能随顺众生,则为随顺供养诸佛;若于众生尊重承事,则为尊重承事如来;若令众生生欢喜者,则令一切如来欢喜。何以故?诸佛如来以大悲心而为体故。因于众生而起大悲,因于大悲生菩提心,因菩提心成等正觉。譬如旷野沙碛之中有大树王,若根得水,枝叶、华果悉皆繁茂。生死旷野菩提树王,亦复如是。一切众生而为树根,诸佛菩萨而为华果,以大悲水饶益众生,则能成就诸佛菩萨智慧华果。[3]何以故?若诸菩萨以大悲水饶益众生,则能成就阿耨多罗三藐三菩提故。是故菩提属于众生,若无众生,一切菩萨终不能成无上正觉。善男子!汝于此义应如是解。以于众生心平等故,则能成就圆满大悲,以大悲心随众生故,则能成就供养如来。菩萨如是随顺众生,虚空界尽、众生界尽、众生业尽、众生烦恼尽,我此随顺无有穷尽,念念相续,无有间断,身、语、意业无有疲厌。

"复次,善男子!言普皆回向者[4]:从初礼拜乃至随顺,所有功德皆悉回向尽法界、虚空界一切众生,愿令众生常得安乐,无诸病苦;欲行恶法皆悉不成,所修善业皆速成就;关闭一切诸恶趣门,开示人天涅槃正路;若诸众生因其积集诸恶业故,所感一切极重苦果,我皆代受;令彼众生悉得解脱,究竟成就无上菩提。菩萨如是所修回向,虚空界尽、众生界尽、众生业尽、众生烦恼尽,我此回向无有穷尽,念念相续,无有间断,身、语、意业无有疲厌。

善男子!是为菩萨摩诃萨十种大愿具足圆满。若诸菩萨于此大愿随顺趣入,则能成熟一切众生,则能随顺阿耨多罗三藐三菩提,则能成满普贤菩萨诸行愿海。是故善男子!汝于此义应如是知:若有善男子、善女人,以满十方无量无边、不可说不可说佛刹极微尘数一切世界上妙七宝,及诸人天最胜安乐,布施尔所一切世界所有众生,供养尔所一切世界诸佛菩萨,经尔所佛刹极微尘数劫相续不断所得功德,若复有人闻此愿王,一经于耳,所有功德比前功德百分不及一,千分不及一,乃至优波尼沙陀分[5]亦不及一。或复有人,以深信心,于此大愿受持读诵,乃至书写一四句偈,速能除灭五无间业[6],所有世间身心等病,种种苦恼,乃至佛刹极微尘数一切恶业,皆得销除;一切魔军、夜叉、罗刹、若鸠槃荼、若毗舍阇、若部多等饮血啖肉诸恶鬼神,皆悉远离,或时发心亲近守护。是故若人诵此愿者,行于世间,无有障碍,如空中月出于云翳,诸佛菩萨之所称赞,一切人天皆应礼敬，一切众生悉应供养。此善男子善得人身，圆满普贤所有功德，不久当如普贤菩萨，速得成就微妙色身，具三十二大丈夫相，若生人天，所在之处常居胜族，悉能破坏一切恶趣，悉能远离一切恶友，悉能制伏一切外道，悉能解脱一切烦恼，如师子王摧伏群兽，堪受一切众生供养。

又复，是人临命终时，最后刹那，一切诸根悉皆散坏，一切亲属悉皆舍离，一切威势悉皆退失，辅相、大臣、宫城内外，象马车乘，珍宝伏藏，如是一切无复相随，唯此愿王不相舍离，于一切时引导其前。一刹那中，即得往生极乐世界，到已即见阿弥陀佛、文殊师利菩萨、普贤菩萨、观自在菩萨、弥勒菩萨等，此诸菩萨色相端严，功德具足，所共围绕。其人自见生莲华中，蒙佛授记；得授记已，经于无数百千万亿那由他劫，普于十方不可说不可说世界，以智慧力随众生心而为利益。不久当坐菩提道场，降伏魔军，成等正觉，转妙法轮。能令佛刹极微尘数世界众生发菩提心，随其根性，教化成熟，乃至尽于未来劫海，广能利益一切众生。善男子！彼诸众生若闻、若信此大愿王，受持读诵，广为人说，所有功德，除佛世尊余无知者。是故汝等闻此愿王，莫生疑念，应当谛受，受已能读，读已能诵，诵已能持，乃至书写，广为人说。是诸人等于一念中，所有行愿皆得成就，所获福聚无量无边。能于烦恼大苦海中拔济众生，令其出离，皆得往生阿弥陀佛极乐世界。"(卷四十《入不思议解脱境界普贤行愿品》)

【注释】

[1]本节所选为四十卷本《华严经》的核心部分，即普贤菩

萨所发十大愿王的第九、第十大愿。十大愿王包括:(1)礼敬诸佛:谓愿对十方三世诸佛世尊如对目前,以清净身语意业修礼敬,尽未来际无穷尽。(2)称赞如来:谓愿由一一舌根出无尽音声海,由一一音声出一切言辞海,称扬赞叹一切如来诸功德海。(3)广修供养:谓愿以华云鬘云等诸上妙具供养诸佛,又愿修如说修行供养等最胜之法供养,广行供养。(4)忏悔业障:又称忏除业障,谓愿念由过去无始劫中之贪嗔痴诸恶业,于诸佛菩萨众前,以清净三业诚心忏悔,后不再造,恒住净戒。(5)随喜功德:谓愿自诸佛如来之初发心至分布舍利之一切功德,及菩萨乃至六趣四生之所有功德悉皆随喜。(6)请转法轮:谓对于成等正觉一切诸佛,以身口意业之种种方便,殷勤劝请转妙法轮。(7)请佛住世:谓对于将示现涅槃之诸佛如来乃至一切善知识,劝请为利乐众生不入涅槃。(8)常随佛学:谓对于毗卢遮那如来自初发心精进不退而树下成道,处种种众会成熟众生,乃至示现涅槃,志愿一切皆随学。(9)恒顺众生:谓愿随顺众生种种差别,作种种承事供养,如敬父母,如奉师长乃至如来,平等饶益众生。(10)普皆回向:谓愿自第一礼拜至第九随顺之所有功德悉皆回向一切众生,令常得安乐,究竟成就无上菩提。

[2]天龙八部:亦称"八部众""龙神八部",多为佛教护法善神,常来听佛所发。八部大众包括:(一)诸天,指三界二十八天。魔,指欲界第六天的魔王天。梵,指色界的大梵天。魔、梵都在诸天一类。(二)龙神,是龙王,是水中畜生最尊贵的,《法华经》列有八大龙王。(三)夜叉,就是恶鬼,有地行、空行二类。(四)乾闼婆意译为香阴、香神,一种以香为食的神,侍奉帝释

司伎乐。(五)阿修罗,意译为非天、不端正等,为六道之一,好与帝释等天神争战夺权,男丑女美,有天福而无天德。有天、鬼、畜三种,住于须弥山下。(六)迦楼罗,意译为金翅鸟,飞禽中最大、最尊贵者,以龙为食。(七)紧那罗,意译为非人,似人而头上有角的歌神,男善歌,女善舞。(八)魔睺罗伽,亦译摩呼洛迦,意译为大蟒神,一种人形蛇首的神。法藏比丘四十八愿及修行、成佛时,天龙八部及一切护法诸神,皆来护持,为守护佛法而有大力之诸神。

[3]这一比喻充分体现出大乘佛教心、佛、众生三无差别,尊重一切众生的理念,也是佛教最伟大之所在。

[4]所谓"回向"是以自己所修之善根功德,回转给众生,并使自己趋入菩提涅槃。或以自己所修之善根,为亡者追悼,以期亡者安稳。回向体现出大乘佛教一切为他人而不自私的精神。

[5]优波尼沙陀分:又译为邬波尼杀昙分,意译为微细分,佛典形容极少之数量名称。如析一毛为百分,又析彼一分为百千万分,又于析分中如前析之,乃至邻虚,至不可析处,名为邬波尼杀昙分。

[6]五无间业:佛典指阿鼻地狱,又作五无间狱。法界有情众生随所造业,堕此地狱,受苦报无有间断。为八大地狱中之最苦处,乃极恶之人所受之果报。据《地藏菩萨本愿经》卷上载,此狱以"五事业感",故称无间。即:(一)时无间,指历劫受罪,无时间歇。(二)形无间,指此地狱纵广八万由旬,一切有情于中受苦,其身形亦广八万由旬,遍满此狱。一人亦满,多人亦满,无有间隙。(三)受苦无间,诸有情于剑树刀山、罪器叉棒、

碓磨锯凿及剉斫镬汤等,备受诸苦,无有休歇。(四)趣果无间,不问男子女人、老幼贵贱及天龙神鬼,罪业所感,悉同受之。(五)命无间,若堕此狱,从初入时,至百千万劫,一日一夜,万死万生,求一念间暂住不得,除非业尽,方得受生。

《六祖大师法宝坛经》[1]（节选）

[元]宗宝[2] 编

行由第一

时大师至宝林[3]。韶州韦刺史名璩与官僚入山请师，出于城中大梵寺讲堂，为众开缘说法。师升座次，刺史官僚三十余人，儒宗学士三十余人，僧尼道俗一千余人，同时作礼，愿闻法要。大师告众曰：

善知识！菩提自性，本来清净，但用此心，直了成佛。善知识！且听惠能行由，得法事意。惠能严父，本贯范阳，左降流于岭南，作新州百姓。此身不幸，父又早亡。老母孤遗，移来南海，艰辛贫乏，于市卖柴。时，有一客买柴，使令送至客店；客收去，惠能得钱，却出门外，见一客诵经。惠能一闻经语，心即开悟，遂问："客诵何经？"客曰："《金刚经》。"复问："从何所来，持此经典？"客云："我从蕲州黄梅县东禅寺来。其寺是五祖忍大师[4]在彼主化，门人一千有余；我到彼中礼拜，听受此经。大师常劝僧俗，但持《金刚经》，即自见性，直了成佛。"惠能闻说，宿昔有缘，乃蒙一客，取银十两与惠能，令充老母衣粮，教便往黄梅参礼五祖。

惠能安置母毕，即便辞违。不经三十余日，便至黄梅，礼拜五祖。祖问曰："汝何方人？欲求何物？"惠能对曰："弟子是岭南新州百姓,远来礼师,惟求作佛,不求余物。"祖言:"汝是岭南人,又是獦獠[5],若为堪作佛?"惠能曰:"人虽有南北,佛性本无南北;獦獠身与和尚不同,佛性有何差别?"五祖更欲与语,且见徒众总在左右,乃令随众作务。惠能曰:"惠能启和尚,弟子自心,常生智慧,不离自性,即是福田。未审和尚教作何务?"祖云:"这獦獠根性大利!汝更勿言,著槽厂去。"惠能退至后院,有一行者[6],差惠能破柴踏碓[7]。经八月余,祖一日忽见惠能曰:"吾思汝之见可用,恐有恶人害汝,遂不与汝言。汝知之否?"惠能曰:"弟子亦知师意,不敢行至堂前,令人不觉。"

祖一日唤诸门人总来:"吾向汝说,世人生死事大,汝等终日只求福田,不求出离生死苦海;自性若迷,福何可救?汝等各去,自看智慧,取自本心般若之性,各作一偈,来呈吾看。若悟大意,付汝衣法,为第六代祖。火急速去,不得迟滞,思量即不中用;见性之人,言下须见。若如此者,轮刀上阵,亦得见之。"喻利根者众得处分,退而递相谓曰:"我等众人,不须澄心用意作偈,将呈和尚,有何所益?神秀[8]上座,现为教授师,必是他得。我辈谩作偈颂,枉用心力。"余人闻语,总皆息心,咸言:"我等已后依止秀师,何烦作偈?"神秀思惟:"诸人不呈偈者,为我与他为教授师;我须作偈,将呈和尚,若不呈偈,和尚如何知我心中见解深浅?我呈偈意,求法即善,觅祖即恶,却同凡心,夺其圣位奚别?若不呈偈,终不得法。大难!大难!"

五祖堂前,有步廊三间,拟请供奉卢珍,画楞伽经变相[9],及五祖血脉图,流传供养。神秀作偈成已,数度欲呈,行至堂前,心中恍惚,遍身汗流,拟呈不得;前后经四日,一十三度呈偈不得。秀乃思惟:"不如向廊下书著,从他和尚看见,忽若道好，即出礼拜，云是秀作；若道不堪，枉向山中数年，受人礼拜，更修何道？"是夜三更，不使人知，自执灯，书偈于南廊壁间，呈心所见。偈曰：

身是菩提树，心如明镜台，

时时勤拂拭，勿使惹尘埃。

秀书偈了，便却归房，人总不知。秀复思惟："五祖明日见偈欢喜，即我与法有缘；若言不堪，自是我迷，宿业障重，不合得法。"圣意难测，房中思想，坐卧不安，直至五更。

祖已知神秀入门未得，不见自性。天明，祖唤卢供奉来，向南廊壁间，绘画图相，忽见其偈，报言："供奉却不用画，劳尔远来。经云：'凡所有相，皆是虚妄。'但留此偈，与人诵持。依此偈修，免堕恶道；依此偈修，有大利益。"令门人炷香礼敬，尽诵此偈，即得见性。门人诵偈，皆叹善哉。

祖三更唤秀入堂，问曰："偈是汝作否？"秀言："实是秀作，不敢妄求祖位，望和尚慈悲，看弟子有少智慧否？"祖曰："汝作此偈，未见本性，只到门外，未入门内。如此见解，觅无上菩提，了不可得；无上菩提，须得言下识自本心，见自本性不生不灭；于一切时中，念念自见万法无滞，一真一切真，万境自如如。如如之心，即是真实。若如是见，即是无上菩提之自性也。汝且去，一两日思惟，更作一偈，将来吾看；汝偈若入得门，付汝衣法。"神秀作礼而出。又经数日，作偈不成，心中恍惚，神思不安，犹如梦中，行坐不乐。

复两日，有一童子于碓坊过，唱诵其偈；惠能一闻，便知此偈未见本性，虽未蒙教授，早识大意。遂问童子曰："诵者何偈？"童子曰："尔这獦獠不知，大师言：'世人生死事大，欲得传付衣法，令门人作偈来看。若悟大意，即付衣法为第六祖。'神秀上座，于南廊壁上，书无相偈，大师令人皆诵，依此偈修，免堕恶道；依此偈修，有大利益。"惠能曰："一本有我亦要诵此，结来生缘上人！我此踏碓，八个余月，未曾行到堂前，望上人引至偈前礼拜。"童子引至偈前礼拜，惠能曰："惠能不识字，请上人为读。"时有江州别驾，姓张名日用，便高声读。惠能闻已，遂言："亦有一偈，望别驾为书。"别驾言："汝亦作偈？其事希有。"惠能向别驾言："欲学无上菩提，不得轻于初学。下下人有上上智，上上人有没意智。若轻人，即有无量无边罪。"别驾言："汝但诵偈，吾为汝书。汝若得法，先须度吾。勿忘此言。"惠能偈曰：

菩提本无树，明镜亦非台；

本来无一物，何处惹尘埃？

书此偈已，徒众总惊，无不嗟讶，各相谓言："奇哉！不得以貌取人，何得多时，使他肉身菩萨。"祖见众人惊怪，恐人损害，遂将鞋擦了偈，曰："亦未见性。"众以为然。

次日，祖潜至碓坊，见能腰石舂米，语曰："求道之人，为法忘躯，当如是乎！"乃问曰："米熟也未？"惠能曰："米熟久矣，犹欠筛在。"祖以杖击碓三下而去。惠能即会祖意，三鼓入室；祖以袈裟[10]遮围，不令人见，为说《金刚经》。至"应无所住而生其心"，惠能言下大悟，一切万法，不离自性。遂启祖言："何期自性，本自清净；何期自性，本不生灭；何期自性，本自具足；何期自性，本无动摇；何期自性，能生万法。"祖知悟本性，谓惠能曰："不识本心，学法无益；若识自本心，见自本性，即名丈夫、天人师、佛。"三更受法，人尽不知，便传顿教及衣钵，云：

"汝为第六代祖,善自护念,广度有情,流布将来,无令断绝。听吾偈曰:

　　有情来下种,因地果还生,

　　无情既无种,无性亦无生。

　　祖复曰:"昔达磨大师,初来此土,人未之信,故传此衣,以为信体,代代相承;法则以心传心,皆令自悟自解。自古,佛佛惟传本体,师师密付本心;衣为争端,止汝勿传。若传此衣,命如悬丝。汝须速去,恐人害汝。"惠能启曰:"向甚处去?"祖云:"逢怀则止,遇会则藏。"

　　惠能三更领得衣钵,云:"能本是南中人,素不知此山路,如何出得江口?"五祖言:"汝不须忧,吾自送汝。"祖相送,直至九江驿。祖令上船,五祖把橹自摇。惠能言:"请和尚坐。弟子合摇橹。"祖云:"合是吾渡汝。"惠能云:"迷时师度,悟了自度;度名虽一,用处不同。惠能生在边方,语音不正,蒙师传法,今已得悟,只合自性自度。"祖云:"如是,如是!以后佛法,由汝大行。汝去三年,吾方逝世。汝今好去,努力向南。不宜速说,佛法难起。"

　　惠能辞违祖已,发足南行。两月中间,至大庾岭五祖归,数日不上堂。众疑,诣问曰:"和尚少病少恼否?"曰:"病即无。衣法已南矣。"问:"谁人传授?"曰:"能者得之。"众乃知焉。逐后数百人来,欲夺衣钵。一僧俗姓陈,名惠明,先是四品将军,性行粗慥,极意参寻。为众人先,趁及惠能。惠能掷下衣钵于石上,云:"此衣表信,可力争耶?"能隐草莽中。惠明至,提掇不动,乃唤云:"行者!行者!我为法来,不为衣来。"惠能遂出,坐盘石上。惠明作礼云:"望行者为我说法。"惠能云:"汝既为法而来，可屏息诸缘，勿生一念。吾为汝说。"明良久。惠能云："不思善，不思恶，正与么时，那个是明上座本来面目？"惠明言下大悟。复问云："上来密语密意外，还更有密意否？"惠能云："与汝说者，即非密也。汝若返照，密在汝边。"明曰："惠明虽在黄梅，实未省自己面目。今蒙指示，如人饮水，冷暖自知。今行者即惠明师也。"惠能曰："汝若如是，吾与汝同师黄梅，善自护持。"明又问："惠明今后向甚处去？"惠能曰："逢袁则止，遇蒙则居。"明礼辞明回至岭下，谓趁众曰："向陟崔嵬，竟无踪迹，当别道寻之。"趁众咸以为然。惠明后改道明，避师上字。

惠能后至曹溪，又被恶人寻逐。乃于四会，避难猎人队中，凡经一十五载，时与猎人随宜说法。猎人常令守网，每见生命，尽放之。每至饭时，以菜寄煮肉锅。或问，则对曰："但吃肉边菜。"

一日思惟："时当弘法，不可终遁。"遂出至广州法性寺，值印宗法师讲《涅槃经》。时有风吹幡动，一僧曰："风动。"一僧曰："幡动。"议论不已。惠能进曰："不是风动，不是幡动，仁者心动。"一众骇然。印宗延至上席，征诘奥义。见惠能言简理当，不由文字，宗云："行者定非常人。久闻黄梅衣法南来，莫是行者否？"惠能曰："不敢。"宗于是作礼，告请传来衣钵出示大众。

宗复问曰："黄梅付嘱，如何指授？"惠能曰："指授即无；惟论见性，不论禅定解脱。"宗曰："何不论禅定解脱？"能曰："为是二法，不是佛法。佛法是不二之法。"宗又问："如何是佛法不二之法？"惠能曰："法师讲《涅槃经》，明佛性，是佛法不二之法。如高贵德王菩萨白佛言：'犯四重禁、作五逆罪，及一阐提[11]等，当断善根佛性否？'佛言：'善根有二：一者常，二者无常,佛性非常非无常,是故不断,名为不二。一者善,二者不善,佛性非善非不善,是名不二。蕴之与界,凡夫见二,智者了达其性无二,无二之性即是佛性。'"印宗闻说,欢喜合掌,言:"某甲讲经,犹如瓦砾;仁者论义,犹如真金。"于是为惠能剃发,愿事为师。惠能遂于菩提树下,开东山法门。

"惠能于东山得法,辛苦受尽,命似悬丝。今日得与使君、官僚、僧尼、道俗同此一会,莫非累劫之缘,亦是过去生中供养诸佛,同种善根,方始得闻如上顿教得法之因。教是先圣所传,不是惠能自智。愿闻先圣教者,各令净心,闻了各自除疑,如先代圣人无别。"[12]

一众闻法,欢喜作礼而退。

【注释】

[1]《六祖大师法宝坛经》:中国禅宗经典,简称《六祖坛经》或《坛经》。禅宗六祖惠能说,弟子法海等集录。记载惠能一生得法传宗的事迹和启导门徒的言教,中心思想是"见性成佛",修禅的实践方法是"无念为宗,无相为体,无住为本",主张"佛法在世间,不离世间觉,离世觅菩提,恰如求兔角",指出"若欲修行,在家亦得,不由在寺,在家能行"等等,对于后世中国佛教特别是禅宗的发展发挥了极为重要的作用。《坛经》的版本系统复杂,较古的本子有惠昕本(兴圣寺本)、元代德异本等,流通最广的是明代南藏本收录的元代报恩光孝禅寺住持宗宝所编的《六祖大师法宝坛经》,一般称为宗宝本。一些学者认为敦煌发现的手抄本为最古版本而加以推崇。我们认为,《六祖坛经》本身即是经历代禅僧整理的,综合反映禅宗思想的一部

经典。无论是从思想的深度上，还是从文字的通顺典雅方面，都以宗宝本更佳。

[2]宗宝：元代僧。生平不详，尝住韶州风幡报恩光孝寺。至元二十八年(1291)校雠《坛经》三种异本，正讹详略，新增弟子请益机缘等，并于卷首附至元二十七年德异所撰之《序》、宋代契嵩所撰之《赞》，卷末附法海等所集之《六祖大师缘记外记》《历朝崇奉事迹》、柳宗元撰之《赐谥大鉴禅师碑》、刘禹锡撰之《大鉴禅师碑》及《佛衣铭》、编者宗宝所撰之《跋》而付梓刊行，名《六祖大师法宝坛经》。

[3]宝林：宝林寺，位于广东曲江县南三十五公里曹溪山，今称南华寺、南华古寺、南华禅寺。梁天监元年(502)，天竺僧智药所建。唐仪凤年间(676~678)，禅宗六祖大鉴慧能开法扩建，学徒云集，法道大振，南狱怀让、青原行思等皆嗣其法。神龙元年(705)改称中兴寺。景龙二年(708)重建，改名法泉寺。五代间复称宝林寺。宋开宝年中(968~975)，遭兵火烧毁灵照塔，寻即营修庙塔，改称南华寺。明时，憨山德清应请入山，大举兴复。今存有六祖肉身像、饭钵、响鞋等遗物，及唐代之卓锡泉、宋代之灵照塔等古迹。

[4]即弘忍(602~675)，唐代高僧，中国禅宗第五祖。浔阳(江西九江)人，或谓蕲州(湖北蕲春)黄梅人，俗姓周。七岁，从四祖道信出家于蕲州黄梅双峰山东山寺，穷研顿渐之旨，遂得其心传。唐永徽二年(651)五十一岁，道信入寂，乃继承师席，世称"五祖黄梅"，或仅称"黄梅"。咸亨二年(671)，传法于六祖慧能。学术界一般认为：我国禅宗自初祖菩提达摩至唐代弘忍之传承，为后世禅宗各派所承认。弘忍继此传承，发扬禅风，形

成"东山法门"，禅宗传教自《楞伽经》改为《金刚般若经》即自弘忍始。

[5]獦獠：古代对南方少数民族一种含有蔑视的称呼。弘忍为了勘验惠能的根性，故意这样说。惠能其后的回答即显示他对于佛性的理解非常透彻。

[6]行者：方丈的侍者，及在寺院服杂役尚未剃发的出家者。《释氏要览》卷上：“《善见律》云：‘有善男子欲求出家，未得衣钵，欲依寺中住者，名畔头波罗沙。’若此方行者也。”惠能此时并未出家，又因姓卢，故人称卢行者。

[7]踏碓：踩踏杵杆一端使杵头起落舂米。《五灯会元·临济宗·道吾悟真禅师》：“石室行者踏碓，困甚忘却下脚。”

[8]神秀(606~706)：中国禅宗北派的开创者。陈留尉氏(今河南尉氏县)人，早年博览经史，唐武德八年(625)在洛阳天宫寺受具足戒，深为弘忍所器重。但其后弘忍将法衣付给惠能。弘忍圆寂后，他去江陵当阳山(今湖北当阳县东南)玉泉寺，住在寺东七里的山上，大开禅法，二十余年中，四面八方从他就学的徒众很多。神秀主张“坐禅习定”，以“住心看净”，后来其弟子普寂等发展为“凝心入定，住心看净，起心外照，摄心内证”之说。神秀寂后，普寂、义福两大弟子继续阐扬他的宗风，盛极一时，普寂并以神秀为达摩一宗的正统法嗣，立为第六祖而自称为第七祖。但因惠能开创的南宗禅适应当时佛徒舍繁趋简之要求，日见其盛，神秀的门庭遂日见寂寞，传了几代，法脉即断绝。

[9]变相：指依经典之记载，描绘佛之本生故事，或净土庄严、地狱相状等之图画，用以宣传教义。又作变像、变绘，略称

变。变乃变动、转变之意,即将种种真实之动态,以图画或雕刻加以描绘,如画弥陀净土之相,称为弥陀净土变;画兜率天弥勒净土之相,称为弥勒净土变;依《楞伽经》所绘之相成为楞伽变相等等。

[10]袈裟:梵语 Kasaya 的音译,意为不正色,即僧侣的法衣。按照佛制,法衣的用色要避开五正色(青黄赤白黑)和五间色(绯红紫绿碧),故称。因其色浊,亦称"淄衣""染衣"等。但袈裟传入中国后,用色也不尽一致。也有用鲜艳颜色的,如金缕袈裟、紫袈裟等。袈裟用小片连缀而成,呈长方形。其制分五条、七条和九条(九条至二十五条为一类,称作祖衣)三种。

[11]一阐提:梵语 icchantika 之音译,意译为断善根、信不具足等,指断绝一切善根、无法成佛者。但中国佛教自道生开始,主张"一阐提亦可成佛"说,与大乘经典《大般涅槃经》的主张相合,显示出大乘佛教彻底主张众生平等的思想。惠能开创的南宗禅亦特别强调这一点。

[12]这一节文字以惠能自述的角度,描写了惠能从黄梅求法到明心见性,最后在曹溪弘扬南宗禅法的经过,情节曲折生动,南宗禅的主要思想也皆有所体现。

般若第二

次日,韦使君请益。师升座,告大众曰:"总净心念摩诃般若波罗蜜多。"复云:"善知识!菩提般若之智,世人本自有之;只缘心迷,不能自悟,须假大善知识,示导见性。当知愚人智人,佛性本无差别,只缘迷悟不同,所以有愚有智。吾今为说摩诃般若波罗蜜法,使汝等各得智慧。志心谛听!吾为汝说。善知识!世人终日口念般若,不识自性般若,犹如说食不饱。口但说空,万劫不得见性,终无有益。善知识!摩诃般若波罗蜜是梵语,此言大智慧到彼岸。此须心行,不在口念。口念心不行,如幻、如化、如露、如电;口念心行,则心口相应,本性是佛,离性无别佛。何名摩诃?摩诃是大。心量广大,犹如虚空,无有边畔,亦无方圆大小,亦非青黄赤白,亦无上下长短,亦无嗔无喜,无是无非,无善无恶,无有头尾。诸佛刹土,尽同虚空。世人妙性本空,无有一法可得。自性真空,亦复如是。善知识!莫闻吾说空,便即著空。第一莫著空,若空心静坐,即著无记空[1]。善知识!世界虚空,能含万物色像,日月星宿,山河大地,泉源溪涧,草木丛林,恶人善人,恶法善法,天堂地狱,一切大海,须弥诸山,总在空中。世人性空,亦复如是。善知识!自性能含万法是大,万法在诸人性中。若见一切人、恶之与善,尽皆不取不舍,亦不染著,心如虚空,名之为大,故曰摩诃。善知识!迷人口说,智者心行。又有迷人,空心静坐,百无所思,自称为大。此一辈人,不可与语,为邪见故。善知识!心量广大,遍周法界,用即了了分明,应用便知一切。一切即一,一即一切。[2]去来自由,心体无滞,即是般若。善知识!一切般若智,皆从自性而生,不从外入。莫错用意,名为真性自用,一真一切真。心量大事,不行小道。口莫终日说空,心中不修此行,恰似凡人自称国王,终不可得,非吾弟子。"

"善知识!何名般若?般若者,唐言智慧也。一切处所,一切时中,念念不愚,常行智慧,即是般若行。一念愚即般若绝,一念智即般若生。世人愚迷，不见般若，口说般若，心中常愚，常自言：'我修般若。'念念说空，不识真空。般若无形相，智慧心即是。若作如是解，即名般若智。何名波罗蜜？此是西国语，唐言到彼岸，解义离生灭。著境生灭起，如水有波浪，即名为此岸；离境无生灭，如水常通流，即名为彼岸，故号波罗蜜。善知识！迷人口念，当念之时，有妄有非。念念若行，是名真性。悟此法者，是般若法；修此行者，是般若行。不修即凡；一念修行，自身等佛。善知识！凡夫即佛，烦恼即菩提。前念迷即凡夫，后念悟即佛。前念著境即烦恼，后念离境即菩提。"

"善知识！摩诃般若波罗蜜，最尊最上最第一，无住无往亦无来，三世诸佛从中出。当用大智慧，打破五蕴烦恼尘劳。如此修行，定成佛道，变三毒为戒定慧。善知识！我此法门，从一般若生八万四千智慧。何以故？为世人有八万四千尘劳。若无尘劳，智慧常现，不离自性。悟此法者，即是无念，无忆无著，不起诳妄。用自真如性，以智慧观照，于一切法不取不舍，即是见性成佛道。善知识！若欲入甚深法界及般若三昧者，须修般若行，持诵《金刚般若经》，即得见性。当知此经功德无量无边，经中分明赞叹，莫能具说。此法门是最上乘，为大智人说，为上根人说。小根小智人闻，心生不信。何以故？譬如大龙下雨于阎浮提，城邑聚落，悉皆漂流如漂枣叶。若雨大海，不增不减。若大乘人，若最上乘人，闻说《金刚经》，心开悟解。故知本性自有般若之智，自用智慧，常观照故，不假文字。譬如雨水，不从天有，元是龙能兴致，令一切众生、一切草木、有情无情，悉皆蒙润。百川众流，却入大海，合为一体。众生本性般若之智，亦复如是。善知识！小根之人，闻此顿教，犹如草木根性小者，若被大雨，悉皆自倒，不能增长。小根之人，亦复如是。元有般若之智，与大智人更无差别，因何闻法不自开悟？缘邪见障重、烦恼根深。犹如大云覆盖于日，不得风吹，日光不现。般若之智亦无大小，为一切众生自心迷悟不同，迷心外见，修行觅佛；未悟自性，即是小根。若开悟顿教，不能外修，但于自心常起正见，烦恼尘劳常不能染，即是见性。善知识！内外不住，去来自由，能除执心，通达无碍。能修此行，与般若经本无差别。"

"善知识！一切修多罗及诸文字，大小二乘，十二部经，皆因人置。因智慧性，方能建立。若无世人，一切万法本自不有，故知万法本自人兴。一切经书，因人说有。缘其人中有愚有智，愚为小人，智为大人。愚者问于智人，智者与愚人说法。愚人忽然悟解心开，即与智人无别。善知识！不悟即佛是众生，一念悟时众生是佛，故知万法尽在自心。何不从自心中，顿见真如本性？《菩萨戒经》云：'我本元自性清净，若识自心见性，皆成佛道。'《净名经》云：'即时豁然，还得本心。'善知识！我于忍和尚处，一闻言下便悟，顿见真如本性。是以将此教法流行，令学道者顿悟菩提。各自观心，自见本性。若自不悟，须觅大善知识、解最上乘法者，直示正路。是善知识有大因缘，所谓化导令得见性。一切善法，因善知识能发起故。三世诸佛、十二部经，在人性中本自具有。不能自悟，须求善知识指示方见；若自悟者，不假外求。若一向执谓须他善知识方得解脱者，无有是处。何以故？自心内有知识自悟。若起邪迷、妄念颠倒，外善知识虽有教授，救不可得。若起正真般若观照，一刹那间，妄念俱灭。若识自性，一悟即至佛地。善知识！智慧观照，内外明彻，识自本心。若识本心，即本解脱。若得解脱，即是般若三昧，即是无念。何名无念？若见一切法，心不染著，是为无念。用即遍一切处，亦不著一切处。但净本心，使六识出六门，于六尘中无染无杂，来去自由，通用无滞，即是般若三昧、自在解脱，名无念行。若百物不思，当令念绝，即是法缚，即名边见[3]。善知识！悟无念法者，万法尽通；悟无念法者，见诸佛境界；悟无念法者，至佛地位。"

"善知识！后代得吾法者，将此顿教法门，于同见同行，发愿受持。如事佛故，终身而不退者，定入圣位。然须传授从上以来默传分付，不得匿其正法。若不同见同行，在别法中，不得传付。损彼前人，究竟无益。恐愚人不解，谤此法门，百劫千生，断佛种性。善知识！吾有一无相颂，各须诵取，在家出家，但依此修。若不自修，惟记吾言，亦无有益。听吾颂曰：

说通及心通，如日处虚空，
唯传见性法，出世破邪宗。
法即无顿渐，迷悟有迟疾，
只此见性门，愚人不可悉。
说即虽万般，合理还归一，
烦恼闇宅中，常须生慧日。
邪来烦恼至，正来烦恼除，
邪正俱不用，清净至无余。
菩提本自性，起心即是妄，
净心在妄中，但正无三障。
世人若修道，一切尽不妨，
常自见己过，与道即相当。
色类自有道，各不相妨恼，

离道别觅道,终身不见道。
波波度一生,到头还自懊,
欲得见真道,行正即是道。
自若无道心,闇行不见道,
若真修道人,不见世间过。
若见他人非,自非却是左,
他非我不非,我非自有过。
但自却非心,打除烦恼破,
憎爱不关心,长伸两脚卧。
欲拟化他人,自须有方便,
勿令彼有疑,即是自性现。
佛法在世间,不离世间觉,
离世觅菩提,恰如求兔角。
正见名出世,邪见是世间,
邪正尽打却,菩提性宛然。
此颂是顿教,亦名大法船,
迷闻经累劫,悟则刹那间。

师复曰:'今于大梵寺说此顿教,普愿法界众生,言下见性成佛。'时韦使君与官僚道俗,闻师所说,无不省悟。一时作礼,皆叹:'善哉!何期岭南有佛出世!'"

【注释】

[1]无计:一切法可分为善、不善、无记等三性,无记即非善非不善者,因其不能记为善或恶,故称无记。无计空即所谓"顽空",即冥顽如木石,这种空断灭了菩提善根,是不能成佛的。

242

[2]一切即一，一即一切：华严、天台等圆教所说圆融无碍之极理，谓万有悉为缘起相成法，故举"一"时，"一切"皆摄入其中。一是最少，一切是最多，一即一切是多少一样，没有分别，认为整体与部分、一般与个别，皆为相即之关系。

[3]边见：由染污慧所起的"五见"之一，五见之首为身见——即我见：有了我见，即计度我为死后常住不灭者，或计度我为死后断灭者，此即佛教所破斥的常见或断见。而边见即是计我身或断，或常，执断非常，执常非断，但执一边。

忏悔第六

时，大师见广韶洎四方士庶，骈集山中听法，于是升座，告众曰："来，诸善知识！此事须从自事中起，于一切时，念念自净其心。自修自行，见自己法身，见自心佛，自度自戒，始得不假到此。既从远来，一会于此，皆共有缘。今可各各胡跪[1]，先为传自性五分法身香，次授无相忏悔。"众胡跪。师曰："一、戒香。即自心中无非无恶、无嫉妒、无贪嗔、无劫害，名戒香。二、定香。即睹诸善恶境相，自心不乱，名定香。三、慧香。自心无碍，常以智慧观照自性，不造诸恶；虽修众善，心不执著，敬上念下，矜恤孤贫，名慧香。四、解脱香。即自心无所攀缘，不思善、不思恶，自在无碍，名解脱香。五、解脱知见香。自心既无所攀缘善恶，不可沉空守寂，即须广学多闻，识自本心，达诸佛理，和光接物，无我无人，直至菩提，真性不易，名解脱知见香。善知识！此香各自内熏，莫向外觅。"

"今与汝等授无相忏悔，灭三世罪，令得三业清净。善知识！各随我语，一时道：'弟子等，从前念今念及后念，念念不被愚迷染。从前所有恶业愚迷等罪，悉皆忏悔，愿一时销灭，永不复起。弟子等，从前念今念及后念，念念不被憍诳染。从前所有恶业憍诳等罪，悉皆忏悔，愿一时销灭，永不复起。弟子等，从前念今念及后念，念念不被嫉妒染。从前所有恶业嫉妒等罪，悉皆忏悔，愿一时销灭，永不复起。'善知识！已上是为无相忏悔。云何名忏？云何名悔？忏者，忏其前愆[2]，从前所有恶业，愚迷憍诳嫉妒等罪，悉皆尽忏，永不复起，是名为忏。悔者，悔其后过，从今以后，所有恶业，愚迷憍诳嫉妒等罪，今已觉悟，悉皆永断，更不复作，是名为悔。故称忏悔。凡夫愚迷，只知忏其前愆，不知悔其后过。以不悔故，前愆不灭，后过又生。前愆既不灭，后过复又生，何名忏悔？"

"善知识！既忏悔已，与善知识发四弘誓愿，各须用心正听。自心众生无边誓愿度，自心烦恼无边誓愿断，自性法门无尽誓愿学，自性无上佛道誓愿成。善知识！大家岂不道，众生无边誓愿度。恁么道，且不是惠能度。善知识！心中众生，所谓邪迷心、诳妄心、不善心、嫉妒心、恶毒心，如是等心，尽是众生。各须自性自度，是名真度。何名自性自度？即自心中邪见烦恼愚痴众生，将正见度。既有正见，使般若智打破愚痴迷妄众生，各各自度。邪来正度，迷来悟度，愚来智度，恶来善度；如是度者，名为真度。又烦恼无边誓愿断，将自性般若智，除却虚妄思想心是也。又法门无尽誓愿学，须自见性，常行正法，是名真学。又无上佛道誓愿成，既常能下心，行于真正，离迷离觉，常生般若。除真除妄，即见佛性，即言下佛道成。常念修行，是愿力法。

"善知识！今发四弘愿了，更与善知识授无相三归依戒。善知识！归依觉，两足尊。归依正，离欲尊。归依净，众中尊。从今日去，称觉为师，更不归依邪魔外道，以自性三宝常自证明，劝善知识归依自性三宝。佛者，觉也。法者，正也。僧者，净也。自心归依觉，邪迷不生，少欲知足，能离财色，名两足尊。自心归依正，念念无邪见，以无邪见故，即无人我贡高，贪爱执著，名离欲尊。自心归依净，一切尘劳爱欲境界，自性皆不染著，名众中尊。若修此行，是自归依。凡夫不会，从日至夜受三归戒。若言归依佛，佛在何处？若不见佛，凭何所归，言却成妄。善知识！各自观察，莫错用心。经文分明言自归依佛，不言归依他佛。自佛不归，无所依处。今既自悟，各须归依自心三宝，内调心性，外敬他人，是自归依也。

"善知识！既归依自三宝竟，各各志心，吾与说一体三身自性佛，令汝等见三身了然，自悟自性。总随我道："于自色身，归依清净法身佛。于自色身，归依圆满报身佛。于自色身，归依千百亿化身佛。"善知识！色身是舍宅，不可言归。向者三身佛，在自性中，世人总有；为自心迷，不见内性。外觅三身如来，不见自身中有三身佛。汝等听说，令汝等于自身中，见自性有三身佛。此三身佛，从自性生，不从外得。何名清净法身佛？世人性本清净，万法从自性生。思量一切恶事，即生恶行；思量一切善事，即生善行。如是诸法在自性中，如天常清，日月常明，为浮云盖覆，上明下暗。忽遇风吹云散，上下俱明，万象皆现。世人性常浮游，如彼天云。善知识！智如日，慧如月，智慧常明。于外著境，被妄念浮云盖覆自性，不得明朗。若遇善知识，闻真正法,自除迷妄,内外明彻,于自性中万法皆现。见性之人,亦复如是。此名清净法身佛。善知识!自心归依自性,是归依真佛。自归依者,除却自性中不善心、嫉妒心、谄曲心、吾我心、诳妄心、轻人心、慢他心、邪见心、贡高心,及一切时中不善之行,常自见己过,不说他人好恶,是自归依。常须下心,普行恭敬,即是见性通达,更无滞碍,是自归依。何名圆满报身?譬如一灯能除千年闇,一智能灭万年愚。莫思向前,已过不可得;常思于后,念念圆明,自见本性。善恶虽殊,本性无二,无二之性,名为实性。于实性中,不染善恶,此名圆满报身佛。自性起一念恶,灭万劫善因;自性起一念善,得恒沙恶尽。直至无上菩提,念念自见,不失本念,名为报身。何名千百亿化身?若不思万法,性本如空,一念思量,名为变化。思量恶事,化为地狱;思量善事,化为天堂。毒害化为龙蛇,慈悲化为菩萨,智慧化为上界,愚痴化为下方。自性变化甚多,迷人不能省觉,念念起恶,常行恶道。回一念善,智慧即生,此名自性化身佛。善知识!法身本具,念念自性自见,即是报身佛。从报身思量,即是化身佛。自悟自修自性功德,是真归依。皮肉是色身,色身是舍宅,不言归依也。但悟自性三身,即识自性佛。吾有一无相颂,若能师持,言下令汝积劫迷罪一时销灭。"[3]颂曰:

迷人修福不修道,只言修福便是道,
布施供养福无边,心中三恶元来造。
拟将修福欲灭罪,后世得福罪还在,
但向心中除罪缘,名自性中真忏悔。
忽悟大乘真忏悔,除邪行正即无罪,
学道常于自性观,即与诸佛同一类。

吾祖惟传此顿法，普愿见性同一体，

若欲当来觅法身，离诸法相心中洗。

努力自见莫悠悠，后念忽绝一世休，

若悟大乘得见性，虔恭合掌至心求。

师言："善知识！总须诵取，依此修行，言下见性。虽去吾千里，如常在吾边。于此言下不悟，即对面千里，何勤远来。珍重！好去。"一众闻法，靡不开悟，欢喜奉行。

【注释】

[1]胡跪：意即胡人之跪拜，又作胡跽。关于胡跪之相有种种异说，一般以右膝著地，竖左膝危坐的姿势为正仪。

[2]愆(qiān)：罪过。

[3]以上分别详加解释"忏"和"悔"，促人警醒，重在履行。又详释"四弘誓愿""无相三皈依戒""一体三身自性佛"等理念，用意深刻，用心良苦。其中多处运用排比、比喻，措辞精警，发人深省。